Según pasan los años

New York, NY.

Colección  Sudaquia

Según pasan los años

Israel Centeno

Sudaquia Editores.
New York, NY.

Published by Sudaquia Editores
Cover and book design by Jean Pierre Felce
Author image by Camila Centeno

First Edition Sudaquia Editores: October 2012

Printed in the United States of America

ISBN-10 1938978110
ISBN-13 978-1-938978-11-1
10 9 8 7 6 5 4 3 2 1

Sudaquia Group LLC
New York, NY 10016

For information or any inquires: central@sudaquia.net

www.sudaquia.net

Índice

Romanza pornomilitar

I

Soy Eleazar, y cuando paso las noches moqueando y con asma, recuerdo a Silvana, la hermana de Vitico. La recuerdo y se me para el corazón, se me paran los pulmones, el sueño se para, se me para el güevo. Sí, todo se me pone tumefacto, los pensamientos, las venas, las ganas de salir corriendo, así, así, hacia el pasado.

En apariencia los eventos suceden en orden, pero no, todo es un caos. El día que los aviones bombardearon Caracas aquella mañana de noviembre del 92, yo salté de mi cama y corrí hasta la platabanda de la casa, allí estaba todo el mundo, se peleaban los binoculares de papá, los aviones rasaban bajo el techo del cielo, bajo las eminencias de El Ávila, allí también estaba Vitico, el hermano de Silvana, había brincado el muro que separa nuestras casas, al otro lado estaba ella con sus teticas lindas y su faldita corta, me hacía adiós con la mano y se mordía los labios. Silvana tenía la boca muy grande, unos ojos hermosos y la cara era suave, trigueña y limpia como un pan de azúcar. Me gustaba Silvana. Un grupo de los aviones que bombardeaban Caracas pasó muy cerca, hubo un momento en el que pensamos que se iban a estrellar sobre nuestras cabezas, todos aguantamos la respiración menos Vitico, que comenzó a gritar mientras corría con los brazos en cruz, como lo hacen los futbolistas luego de encajar un gol: ¡ahí vienen los aviones, ahí vienen los aviones! Desde aquel día Vitico enfermó, no fue el mismo, cada vez que le recordábamos la escena se irritaba y se ponía a lanzar coñazos.

Me empaté con Silvana, la gemebunda, la de carnosa boca, la de ligeras manos y hoy, entre asma y mocos, puedo decir que ha sido la mujer de mi vida. Era insaciable y tierna, le gustaba tirar mucho, me pedía que la cogiera a toda hora, y no se empalagaba con mi lechita. Nunca tuve que decirle nada a Silvana, oye Silvana, quiero que me lo mames; no, ella literalmente se lo comía, se lo metía en la boca, engullía diecisiete centímetros hasta provocarse arcadas; era perversa la Silvana, intensa, pedía que le apretara el cuello, que le robara el aire con las manos y luego, cuando estaba roja, me devoraba hasta dejarme sin alma. Es mi venganza, decía, es mi revancha, son mis ganas empapaditas, toca, toca y dame dos, tres, cuatro golpes de semen, pedía para ella solasolitadentro, muy adentro, la lechita.

Y me hubiera casado con Silvana, pero la vida nos separó. Una tarde en las escaleras, me tomaba, con Germán y Vitico, una botella de ron y tocábamos la guitarra como siempre, algo de esto o de aquello, hablábamos todas las pendejadas del mundo, que si el cosmos, el fin del universo o el origen remoto de la humanidad, entonces yo les dije, me voy a estudiar a la aviación, me gustaría cabalgar aviones de guerra para alzarme y volar en pedazos a esta ciudad de mierda, y no sé por qué pero de pronto y sin pausa me puse a gritar, ¡ahí vienen los aviones, ahí vienen los aviones! Vitico abrió mucho los ojos, dejó la guitarra a un lado y me lanzó un matamarranos que me hizo ver las estrellas, agujeros negros y supernovas, me puso el ojo a palpitar y yo continuaba gritando mientras corría por toda la calle, ¡ahí vienen los aviones, ahí vienen los aviones! Y lo esperé frente a mi casa, al lado de la suya, bajo la terraza de Silvana y le asesté un golpe, dos golpes, escuché cómo le sonaba el tabique de la nariz y luego la mandíbula. Vitico cayó de espaldas sobre el pavimento y justo cuando yo comenzaba a gritar de nuevo ¡ahí vienen los aviones! y le empotraba una patada en las costillas, se asomó Silvana, la de tremebunda boca. Todo se fue al infierno y yo me fui a la aviación, hice mi carrera y no me ha ido mal, tengo casa, tengo cama, tengo dinero, una mujer que me ama, tengo empresas, tengo panas, soy Eleazar, un hombre del Presidente, el oficial de boina roja de paracaidista, de lentes redondos y mostacho, la sombra y la claridad del Mesías.

Hoy con asma y mucho moco, a mitad de la madrugada recuerdo estas cosas y recuerdo a Silvana, la rubicunda y cuando el recuerdo es insoportable, su boca se aviene de nuevo a mí, y comienzo a gritar, enfebrecido, ¡ahí vienen los aviones, ahí vienen los aviones! Mi mujer me ve desde el otro lado de la cama y se da vuelta.

II. Peloticas chinas

Me encuentro con Quique frente a la casa, no me habla de política ni me hace referencia al mundial de fútbol. Pero se ha vuelto melancólico, un hombre triste. Me dice que piensa en Verónica, y que ya no es el mismo que se metía debajo de las sábanas a tascarle el coño a aquella mujer inquieta. Yo la quería, viejo, y la recuerdo como si hubiera muerto. Las cosas buenas no suceden dos veces en la vida, se lamenta Quique. Yo lo miré, escondiendo una ironía. Este Quique sí que es güevón, las cosas buenas no se duplican, imposible, sencillamente vienen cosas, nada más. Quique, le pregunté, ¿y no has encontrado a otra mujer a quien prenderle velas en el tabernáculo? El mojó sus labios con la lengua. No es lo mismo, ¡pero de bolas que no lo es! ¿Te imaginas ese mal sueño: si todos los coños del mundo se parecieran al de tu ex? Quique se llevó la mano a la frente y la dejó correr hacia atrás, despeinando los pocos pelos de su cabeza. Oye, me dijo, a mí me gustaba quedarme dentro de Verónica, luego de acabar, me hacía el muerto, recogía las manos y replegaba mis piernas, me abría en la cama como una bailarina y comenzaba a sentir cómo se contraían los músculos de su totonita, era la vida pulsátil, era su carne toda, su fuerza convulsiva que se apretaba allí, en torno a mi pene, le llegué a contar treinta contracciones. Quique se pasó de nuevo la lengua por los labios, parecía sediento, yo me quedé callado y pensé que lo correcto era quedarme así, porque yo también había corrido mucho por la vida y en uno de sus callejones me encontré a Verónica y me apreté a su coñito con el entusiasmo suficiente como para saber de qué me estaba hablando Quique, pero a Verónica se le fue la lengua y no sobre la punta de mi glande.

Soy una mujer débil, llegó a susurrar, muy débil, delato mis orgasmos.

Fue entonces cuando comprendí que no los delataba, los fingía. Verónica era una contorsionista que se sabía el truco de las peloticas chinas. Quique, ella tenía arte. No quise ahondar más en el asunto, de que si el orgasmo eran contracciones involuntarias y no el juego de las peloticas chinas. Le di a mi amigo una palmada en el hombro y lo invité a dar una vuelta por la cuadra, ¿Recuerdas aquellas chamas de la facultad de arquitectura que nos bailaron en Margarita? Le pregunté. Sí, sí, exclamó: Las Barbies. Fue la época en la que todas las carajitas comenzaron a afeitarse el coño; parecían unas bebés, depiladitas de pies a cabeza y con el culito firme y redondo, ebrias y estimuladas hacían un *prêt a porter* para nosotros en Macanao; sí, sí, le dije, tampoco esas cosas vuelven a suceder en la vida, y recuerda, eran lindas y también fingían.

III . Infusiones

Alberto conoció a Silvana en una tienda donde venden hierbas para infusiones. La mañana estaba siendo sacudida por ráfagas de brisa que hacían sonar el ramaje de los árboles, silbaban entre los ventanales de los edificios y las hojas muertas se abatían sobre el pavimento como serpientes ágiles y pardas que se arremolinaban a ratos y se resolvían en espirales tenues.

Sólo bastó que Alberto y Silvana intercambiaran un par de miradas, se sonrojaron. ¿Has probado la infusión de anís verde? Le preguntó la mujer. Sus labios se hicieron grandes, rojos y húmedos. Alberto creyó escuchar algo más, un sonido inaprensible, una queja, un requerimiento. Sólo tomo té negro por las tardes, le respondió, y ella, que era toda boca, le dijo, malo, malo. Ya había perdido el rubor. ¿Dónde vives? Alberto estaba lánguido como si no se creyese la escena. No muy lejos, a la vuelta. Ella desató una trenza de su cabello, lo soltó sobre sus hombros; entonces llámame, te prepararé algo.

Alberto y Silvana comenzaron a tomar el té, siempre a las cinco. Desentendidos de los ruidos de la ciudad, ausentes de los rumores y de la violencia, como si estuvieran en Camden Town, hablaban de todo un poco, no eran profundos ni intensos, o sí, sólo cuando se miraban. Los labios de Silvana se hacían voluptuosos, se dilataban, se contraían, sus ojos se convertían en dos brasas de fuego castaño. La relación fue ritual, sin desperdicios, sin devaneos. Ven acá, sobre esta alfombra, no haremos el amor como todo el mundo, dijo Silvana mientras le tumbaba de la cintura los pantalones. Nada extraño, susurraba, y sacó su lengua rosa, la enredó en la carne del hombre, detrás de los testículos; apretó sus labios donde nace el pene, huele rico, decía, a poleo, a hojas de manzana, y comenzaba a enrollar sus labioslengua, la saliva se le hizo espesababa y a capricho, toda su boca reinó en torno de aquella verga que despedía el olor de la verbena.

Silvana gemía, apretaba, engullía, hacía gestos muy tiernos, ladraba como una cachorra, era la maga devoradora de espadas que iba y venía en pleamar, abemolando una epifanía y entre los olores y las espumas cantaba su aria hasta ser servida por tres o cuatro golpes de semen que colmaban hasta el borde de su copa.

Alberto recogía las piernas, apretaba los puños y caía de costado sobre la alfombra, convulsivo, en un recodo de la terraza donde tomaban el té. Allí bebían tisanas de menta, infusiones de cáscara de naranja y linaza con miel; allí celebraban como faunos cubiertos por pequeñas flores de manzanilla y se besaban mucho; luego Silvana se replegaba sobre sí misma a un lado en la alfombra, separaba las piernas y miraba al cielo, reordenaba las nubes bajo los geranios, mientras Alberto hacía avanzar su labio inferior entre sus nalgas y recogía toda la humedad derramada; él se desesperaba y parecía perder el ritmo de la respiración, bufaba; luego retomaba la pausa y mordía, lamía debajo, allí, detente, allí, muy cerca los labios, la lengua adentro, fuera, resopla, los labios, los dedos, atrás, sí y Silvana algareaba en falsete, hucheaba con la brisa, ululaba con el agua de una tinaja, no pares, bebe, sube un poco, da una vuelta con la punta de tu lengua, debajo, allí, donde está la semilla, el grano endurecido; huele, a flores de cayena, a menta, a la piel de un durazno, pepita perfumada, allí, abajo; y Alberto podaba, comía, besaba en la alta tarde del té y de la alfombra bajo los geranios en la terraza.

Al fondo, el Ávila observaba aquella coreografía oral de los amantes, regocijado, erecto y volcánico. Cada tarde, cada cita, cada día de cada mes repitieron el ritual. Hasta que un día –siempre hay un día infausto en toda historia– unos aviones que se preparaban a un desfile cruzaron el cielo de Caracas. Alberto atrapaba las hilachas de la pomarrosa entre las piernas de Silvana, apuremos querida, apuremos, ahí vienen los aviones. No terminó de modular aquella frase cuando sintió un golpe sordo resonar en sus espaldas. Silvana le pegó con los puños y con los talones. Párate, sal de allí, márchate de mi vida.

Alberto va todos los días a la tienda de infusiones. Tiene la esperanza de encontrarse con Silvana, de arreglar las cosas. No aguardaba nada, ni una explicación, sólo arreglar las cosas. Está flaco, ojeroso, desconcertado. Ha dejado el té negro, sólo bebe, a grandes sorbos, tazones de tilo.

Silvana continúa en su terraza, encerrada, deprimida, allí maldice el momento, su historia, aquel episodio en que Eleazar y su hermano se destrozaron la cara bajo su ventana. A veces truenan los aviones; roncos y contaminantes los malditos, y ella piensa que Eleazar, el aviador, es un patán que llegará menos lejos de lo que cree; a pesar de todo es un pobre hombre feliz.

IV. Verónica a las tres

Una tarde, en una terraza del San Ignacio, fui a tomarme unos tragos con Verónica. Ella me recibió con la primera frase de Aurelia: "el sueño es una segunda vida", luego se abstrajo, qué predecibles pueden llegar a ser las mujeres. Verónica siempre lo hace cuando la sobrepasan los vapores de la intensidad. ¿A cuál sueño te refieres? Riposté. ¿"Al tenebroso subterráneo" o a esa expectativa imposible, la *memorabilia*, los paisajes que deseamos habitar cuando estamos plantados en la realidad? No sé. No sé, sonrió e iluminó su mirada. Tómate un trago conmigo y cuéntame ¿Me ayudarías a hacer realidad una fantasía? Pasó la mano por debajo de la mesa y me acarició el muslo, quedé en silencio, disfrutando su mano y una cálida erección que hablaba por mí. Sí, dile que sí, vamos a ver en qué lío me mete, gritaba. Terminé el trago, me paré, solté un billete sobre la mesa, siempre en silencio, sin mirar a Verónica, le di la espalda y me perdí por las galerías del centro comercial.

Anduve caminando un rato, crucé una calle, después otra, pasé frente a un hotelito viejo, e imaginé que allí estarían muriendo, en ese preciso momento, todas las fantasías de los amantes. Bajé al metro y me dejé llevar a los vagones del tren por la gente, el azar es perfecto, terminé muy cerca de mi casa, mediaba la tarde y los almendrones parecían chamuscarse bajo el sol deleznable y sucio del invierno tropical. Comencé a pensar que mi vida se estaba convirtiendo en una cadena incontestable de aburrimientos, había llegado al punto en que no quería arriesgar nada, porque nadie realiza su fantasía, ni siquiera pagando por ella, si no, pregúntenle al diablo, las fantasías se desdibujan y reaparece la realidad.

Me senté en un banco de la plaza, vi mi entrepierna, sentí compasión y le hablé. Siempre será mejor quedarnos con la duda, nunca sabremos en qué hueco nos habríamos metido. ¿Ves? Luego de la erección llega la calma.

La expedición de los muñecos

La gente vive para encontrar un tesoro. Ahora estoy más allá de la pretensión de hacerlo. Hoy me hundo en una poltrona y no dejo que ningún sobresalto me haga creer en las oportunidades. Enfermo y despojado de referentes, he tomado con calma el dictamen, no hay asideros, me resumo a esperar y fumar, beber y salir por las noches a pervertirme, estas son las divisas que poseo.

En la casa de mis abuelos todo era diferente, yo tenía quince años y andaba descarriado. El desorden era el estado natural de las cosas. Siempre he pensado que la anarquía se expresaba sin envés en aquel lugar. Cada cual era lo que deseaba ser, por lo menos así lo creíamos, había una especie de consenso, no éramos iguales a las demás familias. Desde que mi abuelo nos prohibió asistir a las clases de religión, comenzamos a sentirnos diferentes. Venían las monjas y nos eximíamos de sus horas llenas de patrañas y mandamientos. Siempre quise ir a clase de religión y estuve a punto de comulgar en secreto, pero si algo estaba claro en aquella época era que si bien no teníamos normas, dictaba sobre nosotros un anatema, nos tiranizaba el anticlericalismo de mi abuelo.

No éramos ateos, como se nos acusaba en clase. Para nada, en mi casa se creía en el espíritu. Nos pasábamos la vida pensando en los espíritus, venían hermanos y se reunían a hablar de sus vidas anteriores y de veintinueve misioneros que habrían de transformar al mundo. Eran comunes para nosotros las sesiones en las cuales se manifestaban grandes personajes a través de un médium. Mi abuelo siempre recalcaba que no era un espiritista de embelecos, su espiritismo, a pesar de las contradicciones que acarrea tal afirmación, era racional, científico y las sesiones se realizaban dentro de las más estrictas consideraciones y reglamentos para evitar la impostura y el folklore. Nada de imágenes ni de ron, ni de mutaciones tras las cuales aparece la fisonomía de un indio. Sólo la rueda de hermanos sentados en torno a la médium, como si la estuvieran velando, mientras ella declamaba con solemnidad. Manejaba austeramente su posesión, parecía recitar sentencias trascendentes e invitaba a seguir caminos de encomio. Siempre creímos que la médium no decía nada en concreto, parecía que se había leído páginas de autores positivistas y que en oportunidades tomaba un verso de Darío y una frase de Víctor Hugo y las lanzaba al ruedo para convocar a los hermanos a luchar por una verdad y una luz imposibles de constatar, pero bastaba sólo que dijera luz y verdad para que aquellas almas transidas suspiraran ruidosamente como si acogieran un llamado superior. Cada cual interpretaba su luz o su verdad. Siempre el tono fue apocalíptico, eso nos llevó a sumarnos a la creencia de un inminente cataclismo que habría de partir al Ávila en dos. Ese día sería de justicia, sería terrible, entraría el mar y barrería a los hombres, el cataclismo universal se concretaba en Caracas, que luego de haber sido destruida junto con la iglesia, se vería impuesta de reivindicaciones merecidas.

Sí, éramos comunistas. La casa de mis abuelos estaba sumergida permanentemente en un estado de agitación. Se imprimían periódicos contra el clero y a su vez una célula del partido escondía armas o maquillaba reuniones. De esta manera se juntaron mis tías con una fauna de revolucionarios que les llenaron el vientre de hombres nuevos; y de mujeres, por qué no. Tuvimos más de siete allanamientos y presenciamos varias persecuciones por los techos de la casa. No es congruente ver sobre una mesa un libro de Joaquín Trincado al lado de las propuestas filosóficas del camarada Mao, ni pensar que el materialismo dialéctico tuviese relación con la vida eterna y continuada. Supimos de las prisiones y de los asesinatos, siempre decían que habían asesinado a éste o a aquél. A mi primo mayor le partieron la boca como castigo ejemplar cuando preguntó si éste o aquél no había asesinado a alguien. Las personas de la cuadra nos señalaban como comunistas, todos conocimos los calabozos de la policía política, era natural pensar que nuestro teléfono estuviese intervenido y que siguieran viniendo al mundo hombres y mujeres nuevos. Así llegamos a ser una familia numerosa, por el regusto de los camaradas en los cuerpos de nuestras tías, al final todos tuvimos un padre común, un padre tan abstracto como la luz y la verdad.

Por esa época conocí a Adela, era una hermana espiritista extraña, venía de Coro y siempre sus brazos estaban llenos de alhajas y se arreglaba sobre su cabeza un moño alto. Ella vivió muchos años, nunca su cara cambió de expresión, sus ojos brincaban un poco, sonreía de buena gana, tenía una risa entera y dura como su rostro. Ella nunca se iba de la casa, nos acompañó hasta que se hizo muy vieja, su mundo era realmente ajeno, en ocasiones le silbaba a entidades invisibles y decía que tenía comunicación directa con los hermanos superiores de otros mundos. Ella no era comunista, eso implicaba otro anatema. Le tenía pavor al comunismo, decía que aquello no era sino una promiscua relación de igualdad. ¿Por qué se quedó? Por qué le traía caramelos a la perra de mi abuela? ¿Por qué hablaba con mis tías sobre la imperiosa necesidad de no andar llenando de hombres nuevos al mundo? Su marido construyó la parte alta de la casa, la hizo más grande para extender los límites de la comuna.

No solamente venían comunistas y espiritistas. Los amigos de mi tío, que andaba en otra onda, ya instalaban sus bártulos en los pisos superiores. Era un grupo de muchachos que exploraba el mundo de la psicodelia y el ocio, pasaban los días jugando pelota de goma en la calle, golpeando tacos en el billar de Blanco, reunían dinero para comprar una bombona de anís, llevaban el pelo largo y no escuchaban guarachas ni salsa. Usaban pantalones comprados en Carnaby Street y fumaban marihuana a discreción. Ellos me iniciaron sexualmente en el lavandero. Recuerdo que le quitaron la camisa a la mujer de servicio y dejaron sus tetas al aire, jugaban con sus pezones, los lamían, le sembraron las manos debajo de las faldas y fue cuando me llamaron, me decían que oliera, que tocara la corona negra, que sintiera su tibieza, todos se reían. La mujer no dejaba de restregar la ropa en la batea mientras la mojaban con sus lenguas. Aun cuando amo a una mujer siento que su genitalidad se expresa entre los olores del jabón de lavar y el ácido humor de las latas de sardinas. Éramos todos los que estábamos, caricaturas de *hippies*, revolucionarios que querían a nuestras tías, uno que otro loco que se había incorporado al baile y los embriones del futuro; nos mirábamos con recelo y hasta con desprecio, pero en definitiva convivíamos, unos intercambiaban patadas por el culo, otro amagos y amenazas, los demás tratábamos de hacer la vista gorda a escenas de abandono y asomos de abusos sexuales.

Pero en la parte de debajo de la casa continuaron sesionando los hermanos espiritistas. Adela persistía y no se fue. Se quedó incluso cuando nos vimos obligados a mudarnos a un apartamento.

En el apartamento se comprimió la convivencia, muchos embriones se fueron con las tías que estabilizaban sus vidas, otros nos quedamos. En ese momento llegó Juan. Había estado en la montaña, había subido a uno de los tantos frentes guerrilleros y había marchado hacia alguna parte, su marcha fue siempre en círculo y con miedo. No sentía temor a las balas de los soldados, ni a los enfrentamientos con los adversarios, sólo les temía a sus camaradas.

Juan estudiaba ingeniería en la universidad. Su bachillerato, a pesar de que el país pasaba por una turbulencia política, fue afortunado; se graduó con buenas notas y se abstuvo de militar en ninguna organización política. Así salió con honores. Contaba que su primer error consistió en mudarse a las residencias universitarias. Ha debido continuar con sus padres porque nadie escapaba en aquella época a ser captado por una célula del partido comunista.

Le tocó compartir su habitación con dos compañeros que militaban en el partido, dos personas cuya tarea consistía en mantener en estado de agitación los pasillos de la universidad. Juan no se dio cuenta de ello, pero lo vigilaban y le hablaban mucho de la necesidad de mantener la boca cerrada, pues al delator no se le trata con consideraciones. Ya compartía secretos; fue dejando a un lado la carrera y asistió a los círculos de estudio. Se daba por entendido que *El Capital* era un asunto que se aprendía con la práctica. Dos o tres conceptos elementales sobre lucha de clases eran suficientes. No había tiempo para demasiada teoría y sí mucho trabajo.

En un principio empapelaban una y otra vez la universidad, las consignas cambiaban de un día a otro. Había que tapar la propaganda del enemigo y empapelar con insidia, eso formaba la voluntad. Era necesario formar la voluntad, por eso le aconsejaron que abandonara a Margarita. Juan quería a Margarita, era una muchacha que estudiaba odontología. Iban con frecuencia al cine, tomaban helados en Castellino y se acostaban, cuando en el cuarto de la residencia no estaba montada una reunión. El disfrutaba con Margarita, ella tenía el cuello largo y la sonrisa blanca, el pelo corto y las orejas pequeñas, era flaca. Les contaba a los amigos que no sabía si ella sería la mujer de su vida, si terminarían casándose, si tendrían hijos o viajarían a Europa. A Margarita le gustaba París. En aquel momento ¿a quién no le gustaba París? A ella no le atraía la dinámica del movimiento estudiantil, eso era algo circunstancial, le dijo una tarde a Juan mientras tomaban unas cervezas. Las ciudades van más allá de las circunstancias o del momento histórico, acotó. Por ejemplo, una tarde en Montmartre, una misa en Notre Dame o en Sacré Coeur, un otoño en el Louvre. Eso bastó para que se definieran todas las expectativas de Juan. La tomó de la mano y la condujo al baño de mujeres, allí interpuso su cuerpo entre la puerta y el lavabo, forcejearon un rato y terminó sacándole las pantaletas, con resentimiento y violencia la fusiló y la dejó a un lado.

Era lo correcto, le aplaudieron, le pedían detalles. Juan sólo se limitaba a fumar y tomar ron. No se puede tener una novia con pretensiones tan desentonadas. Esa noche celebraron y tocaron la puerta a unas compañeras, pusieron música y llenaron la habitación de humo, convirtieron a la noche en una bulla insurgente, en un delirio. Así llegaría el día y continuarían las jornadas, tenían responsabilidades y ya no se daban a basto en la ciudad, pues los otros subían a la montaña.

Juan se creía capaz de encontrar el tesoro. Una tarde de ocio nos pusimos a hablar con la hermana Adela. Había envejecido y hacía muñecos con hojas de maíz. Esos muñecos, según ella, tenían vida propia, les preguntaba sobre sus asuntos y aseguraba obtener respuesta de Zebulón, Astrulio, Manasés o Cistilia. Al principio nuestra relación con la hermana Adela fue un juego, andábamos ociosos, en ocasiones cargábamos un rifle de balines y le disparábamos a las nalgas de las muchachas que jugaban en la cancha de voleibol frente al balcón del departamento, estábamos dispuestos a prestarle atención a los nimios y diversos asuntos de la vida. Entonces le seguíamos el juego a la hermana con lo de las existencias en otros mundos, hablábamos como si los maestros espirituales nos hubiesen poseído y creábamos batallas cósmicas en mi cuarto. La hermana sentía estar al frente de una legión de luchadores que implantaría el reino del espiritismo en el universo.

Todo transcurría dentro de los parámetros que, hasta entonces, resultaban normales en la casa, pero una tarde las cosas cambiaron mientras veíamos el futuro en el espejo. Habíamos preparado el espejo con mucho cuidado, lo guardamos de la luz solar cubriéndolo con un trapo negro y lo enterramos por tres días. Al traerlo al dormitorio, encendimos una vela blanca y lo descubrimos. Como era de esperar, ni Juan ni yo vimos nada, se reflejaban las caras de los tres, todos llevábamos pañoletas amarradas a la cabeza, había sido una exigencia de la médium. ¿Y entonces? Le inquirimos. Sus ojos comenzaron a dar brinquitos, a aclararse, los tenía amarillos y verdes y brincaban, arrugaba su ceño y se concentraba. En esos momentos su cara era inescrutable. ¿No lo ven? Gritó de pronto. ¿No lo ven? ¡Allí está! Nosotros le preguntamos qué estaba allí, continuábamos viendo nuestras cabezas cubiertas por pañoletas. ¡Allí están los tres hombres del general Falcón! Miren: bajan los baúles, el negro Benito va con ellos, van en arreo de mulas. Ella dijo que habían salido de La Vela de Coro. El general Falcón, antes de marchar sobre Caracas en el siglo pasado, mandó enterrar un tesoro en Paraguaná. Es cierto, de todas maneras me lo contó mi abuela, dijo la hermana. Antes de que cañonearan La Vela y el general se preparara para retomarla, decidió enterrar el tesoro de la Federación en un lugar seguro. Mandó a su segundo, el negro Benito, a esconderlo en el Barbasco, pero una vez elegido el lugar, y luego de haber cavado un sótano que frisaron y cubrieron con calicanto, uno de los tres hombres, tras darle la espalda al negro Benito, se volteó y lo degolló. El negro cayó al fondo, sin tiempo ni siquiera de soltar el resuello, los otros llevaron sus manos a la cintura y empuñaron sus sables, pero recibieron cada uno la descarga de un pistoletazo que les marcó la frente. Ortiz, así se llamaba, lo sé, no es un recuerdo, lo sé, dijo la hermana Adela. Ortiz se llamaba el hombre que le robó el tesoro al general Falcón. Nadie sabe cómo terminó, anduvo huyendo por el desierto entre las tunas, comió con los indios, no fue visto nunca más entre criollos hasta el día en que lo encontraron al pie de un cardón, con seis puñaladas en el pecho. De inmediato, Juan y yo descubrimos nuestras cabezas. Ya empezábamos a creer que no se trataba de una jugarreta más. No existían indicios para que no lo fuera, pero la hermana Adela era de Paraguaná y podía estar manejando recuerdos. ¿Hasta qué punto no será una tomadura de pelo? Pregunté. Ya que le hemos tomado tanto el pelo a ella, ahora ella nos lo toma a nosotros. Se supone que esa era la dinámica. Decidimos otra sesión, con lectura del vaso de agua. Buscamos velas y esperamos la noche.

Luego de leer sobre la mediumnidad y sus leyes, de recitar un Padrenuestro espiritista, de encomendarnos a los guías y protectores, casi le gritamos a la hermana para que comenzara. En nuestra sesión nadie declamaba ni hablaba de cataclismos. Tampoco se habló de caminos, de luz o de verdad. Nos pusimos las pañoletas y miramos todos al vaso de agua, un vaso de agua cristalina en la cual se reflejaba el óvalo luminoso del fuego, un fuego no abatido, aureolado de azul. El agua era un elemento claro, quieto, casi muerto, el agua era un elemento contenido, sin ondas, sólo mínimas partículas se suspendían frente a nosotros.

¡Allí están! Nos asustó la hermana. ¿Quiénes? Preguntamos.

¡Los hombres! ¿Los del general Falcón? Volvimos a preguntar. ¡No! ¡Son los hombres del pirata Morgan!

Juan y yo nos miramos, pensamos que la vieja nos tomaba por idiotas. Miren, susurraba, están en Punta Macolla, la nave está anclada fuera de la bahía, pero allá viene el capitán Morgan.

El capitán Morgan hacía bogar a sus hombres hacia la playa, venía de Maracaibo, acababa de saquear a la ciudad. Desembarcaron y fueron conducidos por un baquiano hasta el monte del Barbasco, en donde se hallaba construida una gruta de calicanto en la cual esconderían los tesoros, o mejor dicho, reposarían los enterradores y se guardaría el tesoro. Morgan salió del agua, un hombre de su confianza, al llegar a punta Macolla tomó el bote, Morgan le dijo que él guardaría su secreto y que bien sabía que guardar silencio era guardar la vida, así se adentró al mar mientras un marino rezagado de la tripulación le abría el vientre en canal al baquiano.

Allí está el tesoro en el Barbasco, dijo la hermana y nos lo señalaba, nosotros continuábamos mirando el agua contenida, muerta. Juan y yo discutimos. No sé en qué momento nos tomamos el asunto en serio, no sé por qué creímos que en un punto entre Jadacaquiba, el Cabo de San Román y el Barbasco se encontraba enterrado el tesoro. Yo, porque había crecido en un ambiente en el que es fácil cultivar el escepticismo, Juan porque venía de una formación marxista. Le dimos varias vueltas al asunto y llegamos a pensar que el tesoro existía y la hermana sólo transmitía algo que había escuchado cuando niña; en los vasos y en los espejos quedan atrapados los recuerdos. La hermana continuaba hablando con sus muñecos o con Piopipar, un maestro superior encarnado en pájaro. Insistía en que todo era cierto, y lo que nos llamó la atención fue su empeño en que debíamos viajar a desenterrar el tesoro cuanto antes.

El Barbasco es un monte difícil, la gente se pierde y da vueltas sobre sus huellas y si encuentra el lugar que busca, de alguna manera lo vuelve a perder, es como la vida. Empezamos a estudiar mapas, visitamos la zona, vimos al Barbasco, una maraña de vegetación hiriente y espinosa en la cual uno puede perder la orientación. Preguntamos a los campesinos y ellos nos reafirmaron la leyenda de un tesoro oculto en el monte. No había que inventar más, debíamos equiparnos e ir tras él.

Yo tenía mis dudas, nunca había estado en el monte, la hermana se empeñaba en acompañarnos. Es imposible, le dijimos. Sólo Piopipar conoce de vuelos, nos advirtió la hermana Adela. El más seguro era Juan, a quien podía catalogar de veterano. Mientras preparábamos el viaje, me contó sobre su experiencia en las montañas de El Bachiller. Ya se había acabado la acción en la universidad y Juan había participado en dos asaltos a bancos, pusieron bombas cerca de la embajada norteamericana y se involucró en la planificación de un secuestro. Sólo le quedaba un camino, la policía lo perseguía y era hora de subir al monte. Además se avecinaba una ofensiva. Duró cuatro días, junto a otros compañeros, en dar con el campamento, era montaña tupida y llovía permanentemente. En el campamento no reinaba el mejor de los ánimos, habían llegado unos camaradas internacionalistas que conducían las operaciones, trataban de imponer disciplina a la guerrilla y evitar su desmembramiento. Juan ya conocía cuentos sobre la disciplina, supo lo del suicidio de una comandante en Lara, luego de haber procurado el fusilamiento de otra compañera que se había acostado con el jefe político del destacamento. Juan tenía miedo, llovía persistentemente y el grupo se movía de noche. Armaron una emboscada, venían los soldados del ejército, un pequeño convoy, los internacionalistas miraron a los comandantes venezolanos del frente guerrillero y éstos los retaron, les iban a demostrar el valor del hombre nuevo y salieron al camino, dieron el pecho, todos, internacionalistas y nacionales salieron al camino y comenzó el tableteo de los fales, las explosiones de las granadas, un muerto, otro muerto, un jeep quemado, la copa de un árbol en llamas. Los comandantes e internacionalistas fallaron la emboscada. Es muy difícil fallar una emboscada cuando no la han delatado. ¿Por qué habían fallado? ¿Por qué habían matado o detenido a la mitad del grupo? Juan siempre estuvo seguro de que fue una cuestión de orgullo. Los comandantes querían demostrarles a los internacionalistas que las bolas del hombre nuevo estaban entre sus piernas, no en las de ellos, y convirtieron lo que debía ser una emboscada en un enfrentamiento. Según los clásicos que se han escrito sobre guerra de guerrillas, ésta debe evitar por todos los medios el enfrentamiento. Al reagruparse continuaban hablando de una emboscada fallida, de falta de disciplina, ya en la ciudad el partido estaba dividido, en el monte también, en el comando hubo quien trató de echarle la culpa del fracaso a problemas ideológicos, a la baja moral, entonces, en El Bachiller comenzaron los fusilamientos. Cuenta Juan que dormía con el fusil montado y en el pecho, no se iba a dejar matar; porque si de fusilar se trataba, él los ejecutaría primero. Ya no había nada que hacer, no tenía alternativas, gritaba en medio de las tempestades y se tapaba los oídos cuando se llevaban al de la guardia anterior acusado de dormirse o de robarse un pote de leche condensada.

Una noche decidió desertar. Eso pasa en los mejores ejércitos, me dijo, por qué no iba a pasar con nosotros, si no hubiese desertado me matan, no estaba con los suyos, allí las purgas eran continuas, Saltó de la hamaca, se internó en la noche y se fue desasiendo de su indumentaria, la poca que le quedaba. Lo único que mantuvo hasta el final fue el fusil, pasó días comiendo raíces y hierbas, eso era un laberinto, cómo le voy a tener miedo al Barbasco. Las quebradas estaban crecidas, las culebras brincaban de las ramas como mosquitos, y los campesinos que lo veían, de inmediato tomaban sus machetes y daban gritos. Nunca pensó que iba a salir de ésa, estaba flaco, la fiebre lo paralizaba en su huida. Era sensato huir, irse de la vida, sumirse en la fiebre. Entonces una certeza, un sueño, la caricia del ala de un ángel le hizo sentir que de alguna manera encontraría la forma de poder contar sus aventuras, pero cuál aventura, el ala o la certeza lo cobijaban, pasó un río en el que perdió su fusil y de allí en adelante anduvo guiado por una sola sensación, la de su fiebre, pensó que así se debieron sentir quienes estuvieron picados por la fiebre del oro, ahora él estaba arrastrado por la fiebre del oro, querer vivir puede ser fiebre o puede ser oro. Llegó a una carretera pavimentada y se le atravesó a un camión. El conductor, en vez de entregarlo, le dio de comer y de beber, le compró ropa, le alcanzó un dinero para que tomara un autobús y llegara hasta donde tenía que llegar.

Entonces, me dijo, ¿qué me salvó? La fiebre del oro. Hasta ahora me he mantenido vivo para cobrar mi oro, la vida le tiene guardado un tesoro a cada uno de los hombres.

Preparamos detalladamente la expedición; según nuestros planes, no debería ser muy complicado el asunto, se trataba sencillamente de buscar una tumba de calicanto en el Barbasco.

Paraguaná es árida, solitaria y confusa, es una península casi redonda. Por ella transitamos y dormimos al viento bajo las noches más completas, esféricas y estrelladas que pueda concebirse. Eran parecidas a las noches de un cómic. Bajamos de cabo San Román y montamos campamento a las orillas de una acequia de invierno. Por los datos de la hermana y de los campesinos, la tumba de calicanto estaba al sur de Punta Macolla. Entonces, nuestro radio de búsqueda se comprimía lo suficiente como para explorarlo en poco tiempo y dar con ella. En principio no nos separaríamos, llevábamos brújulas, cada tarde nos reuniríamos en la acequia de invierno y volveríamos al campamento, no debíamos dormir fuera.

El primer día estuvo lleno de entusiasmo y hallazgos. Conseguimos dos o tres construcciones de calicanto en forma de cúmulos, luego dimos con un lugar donde había tres fogatas indias, más adelante nos tropezamos con una caverna en el horadado suelo. Decidimos regresar para evaluar la excursión, al día siguiente tratamos de dar con los túmulos de calicanto, teníamos la ropa sucia, la piel pegajosa, perdimos todo el día buscando los túmulos. En su lugar encontramos sólo una fogata india, no nos explicamos dónde habían ido a parar los túmulos habiendo tomado las previsiones para encontrarlos de nuevo. Volvimos al campamento, ahorrábamos agua y comíamos dos veces al día, apenas tomábamos café y nos sumíamos en un sueño absoluto. Salimos de nuevo y no dimos ni con los túmulos de calicanto ni con las fogatas indias, ni con las otras señales. Ya la tierra había formado una capa de arcilla sobre nuestras caras, las manos estaban inflamadas por el calor y teníamos las pestañas y cejas grises. No tomábamos demasiada agua, entonces volvimos al campamento con los labios hechos jirones. Así anduvimos sin sacar nada en limpio durante una semana. Estábamos perdidos en medio de un mar de tunas, los cabritos nos hacían compañía, no eran referencia, todos eran negros o blancos y gritaban como demonios. Mi ánimo estaba por el piso, se lo dije a Juan, quien ya no tenía rostro, era una pieza de arcilla, roja y cuarteada. Me respondió que no podíamos dejar este asunto así, que él ya había desertado una vez, que estaba seguro, que había señales que lo probaban, por ejemplo, los túmulos de calicanto y las fogatas indias, las grutas en la tierra, esas cosas que aparecen y desaparecen a pesar de haberlas dejado señaladas, no eran gratuitas. Me afirmó que tenía una teoría, que podía parecer alocada, pero que si no había lógica en la búsqueda, no debíamos andar buscando nuestro asunto con lógica. La hermana Adela tenía razón, esto es cosa de muertos, hay dos tesoros, el de los piratas y el del general Falcón. Los ayudantes no eran enterrados únicamente para que guardaran un secreto, él había soñado con Ortiz y vio cómo de su pecho agujereado salía un hermoso pájaro, no me supo decir qué clase de pájaro, era un pájaro enorme y volaba y volaba sobre el Barbasco, él había sentido los aleteos. Ortiz le había dicho que siguiéramos al pájaro, el pájaro nos indicaría dónde estaban las dos tumbas de calicanto con nuestros tesoros enterrados.

—¡No entiendes, carajo, cada hombre tiene un tesoro en esta tierra!

Así salimos antes de que terminara de levantarse el sol. Yo me sentía inútil, repetía una historia bíblica, daba pasos en círculo en el desierto y fue entonces cuando me di cuenta de que la tierra prometida me estaba negada. Ya éramos hombres de arcilla, sobre nuestra ropa y nuestra piel se había formado una gruesa y quebradiza capa roja, éramos aridez y yermo en el paisaje y en el paisaje como los túmulos de calicanto y las fogatas nos movíamos. Éramos paisaje. Vagábamos y vivíamos entre iguanas y chivos, las culebras dejaban sonar sus cascabeles sobre nuestras manos, las espinas se cuidaban de nuestro paso.

Ya no hay nubes en el cielo, pero Juan sigue un aleteo, un fuerte y absoluto aleteo que lo hace desbocar sobre las espinas. Yo le doy la espalda sin ningún dilema, no corro mientras lo abandono, mi paso es tranquilo, sólo escucho en la inmensidad la voz de Juan:

—¡Piopipar! ¡Piopipar! ¿Estás por ahí?

Israel Centeno

La casa verde

No digas que fue un sueño

K. Cavafis

Uno conoce a alguien y sabe que no le hablará jamás en la vida. Funciona como la química, el sexo, las perversiones. Antonio se convirtió en una referencia por motivos peregrinos. La fama de pistolero, la amargura de sus sentencias, aunque éstas fueran irrelevantes y su rostro; el sudor, la hirsuta barba, su insistencia en llevar abrigo en pleno mediodía, me hicieron marcar una obsesiva distancia que se tradujo finalmente en un sutil interés. Yo me dedicaba a la reseña de libros y leí un cuento largo que le publicaron en una editorial alternativa. De nuevo, pese a estar ante un texto meritorio, sentí que se activaba un detalle desagradable, una fisura. Reseñé su cuento para una revista de economía, la reseña fue favorable, mis amigos me acusaron de pretender ser irónico. Dijeron que no sabía manejarme con los afectos y que hasta disfrutaba con el ensañamiento. Nadie se maneja bien con los afectos y mi saña tiene un sentido que se aplica a la ambigüedad de la figura. Yo no podía dejar de frecuentar los lugares que él frecuentaba, de interesarme por sus mujeres, sus opiniones sobre la vida y la muerte, y si me lo encontraba, le hacía un guiño, intentaba la cordialidad o intercambiaba palabras casuales. El nunca supo lo de la reseña en la revista de economía.

No lo vi de nuevo y he comenzado a sentir los estragos de la ausencia.

Me contó Manuel que lo había dejado el viernes luego de vagar toda la tarde por los bares del Este de la ciudad. A Antonio sólo le gusta beber en bares del Este. Sólo le gusta beber en los bares chinos del Este, agregó. Siempre dice que no sabe beber sino en barras donde un dios rojo y azul de alguna manera lo observa.

Andaba mal, sabes, me contó sobre La Casa Verde. Yo de inmediato creí que se trataba de la novela, pero me dijo que había estado allí, yo le seguía la corriente, pero me gritó, casi escupía mi cara, Piura queda a la vuelta, allá en la esquina; sonreí, no te rías, pendejo, La Casa Verde está acá en la esquina y dudo que pueda sobrevivirla.

Antonio al final no mentía. Llevó a Manuel, siguiendo una sencilla ruta de bares, hasta una calle en la cual efectivamente, una casa de tapias verdes y techumbre de zinc se levantaba sobre truncos palos de eucalipto. Vamos a tomar unas cervezas. No entraron a La Casa Verde, sino a la barra de un bar, justo al lado. Manuel, tras pedir una ronda, le preguntó de qué se trataba aquello.

Es un burdel, bebió a pico de botella, una arruga fina y persistente le cruzó la mejilla, el frío le recorría el esófago y el sudor perlaba su frente, de qué te extrañas, güevón, hay putas al lado, putas baratas, eso hay que celebrarlo de alguna manera. Al final no hay que viajar al Perú ni desenmarañar los recuerdos de un escritor para que la realidad te dé uno de esos carajazos que suele dar.

Manuel me dijo más tarde que al principio se había confundido un poco, en realidad era extraño eso de encontrar la casa Usher y participar en su caída, pero burdeles había en todas partes, verdes y sórdidos, novelescos, qué otra cosa son los burdeles. Yo disentía, he conocido lugares demasiado patéticos en los cuales se le continúa poniendo precio al culo. En realidad lo que le extrañó a Manuel fue que Antonio le afirmara que no sobreviviría a la casa verde. Desde algún tiempo decía que su vida tenía ya el punto final, que no aguantaba más el orden de una mañana, que no viviría de nuevo otro desorden nocturno. Su vida había sido construida de noche, desde los lejanos años de la clandestinidad de su padrastro. En su intento por darle continuidad a un estilo subversivo, la noche fue un tinglado, de noche todos los gatos son pardos, decía el abuelo, de noche se iba a una reunión en un café del Centro Plaza para planificar el secuestro del Rey de las Telas.

El día era un recuerdo. Antonio lo recordaba como secuencias circunscritas a su primera infancia, y ese recuerdo era mirarse sentado frente a la puerta de su casa, en aquel tiempo, alta y azul, majestuosa, a pesar de levantarse en medio del pasaje de un barrio miserable de Caracas. En aquel pasaje hizo las pocas cosas que pudo hacer de niño, jugaba pelota de goma, patinaba hasta dejar en sus pies la sensación de haber quedado desplazándose sobre ruedas por la eternidad, montó bicicleta y se mareó uno que otro fin de año junto a los amigos. Robaban las bebidas de las mesas y se iban por las calles y largaban alaridos, él era una aviesa criatura: recuerda su primera cerveza. Un domingo, el novio de una tía abrió la maletera del auto y Antonio descubrió que guardaba latas de cerveza en una cava. Tomó una, la destapó y dejó que reventara en su cara la espuma fría. La lamió y la bebió como un lobezno. La escuela y algunos ratos en la playa se confundieron con aquella temporada en la casa de una tía en la provincia. Todo se vertió allí, en una ebanistería donde trabajaba un robusto alemán que roncaba por las noches como un puerco y que hablaba con nudos en la lengua, no por desconocimiento del idioma; sufría una extraña enfermedad, eso le dijeron, nadie supo explicar qué demonios le había pasado en la lengua a su tío de Bavaria. Tenía la cara redonda y un bigotito corto parecido al de Hitler; siempre imaginó que el esposo de la tía no era otro que un criminal de guerra; esa manía de mi familia de ponerse al margen, de pensar que era bueno no ser normal; en esos momentos, Antonio alzaba la botella y se felicitaba ante todos los borrachos de la barra por esa especie de romanticismo empedernido.

Al fondo de la ebanistería estaba el patio y en medio un cerezo que se desnudaba insidiosamente. Las gallinas y la garza junto a los montones de gaseosas siempre heladas en una nevera exclusiva para las gaseosas, fueron los destellos de ese orden del cual quedaría excluido, repite y brinda, por la idea tan putamente deliciosa de esta vida.

Eso no era nada especial. Perder un día el sentido del orden le pasa a todo el mundo, dijo Manuel a Antonio, no es como para que me traigas a este sitio y me hables de que ya se te agotó el cartucho de balas, que no puedes continuar escribiendo, pero Antonio puso algo en la rocola y vino bañado en lágrimas. Contó que había montado muchas veces la pistola, que le enseñaron a calzar el carro a los trece años, que su sueño en algún momento fue asesinar a un enemigo, entrar abruptamente a un banco y robarlo, alguna vez creyó que se preparaba para eso, para caerle a tiros a las patrullas en medio de una virulenta manifestación.

Recordó que mucho después de haber salido de la casa de su tía, luego de vivir la vida revolucionaria de su padrastro y de los compañeritos de partido de su padrastro, él militó de veras. Siempre hubiese querido ir al monte a matar soldados o participar en asaltos comando en las ciudades, pero cuando me tocó a mí, dijo, ya todo venía de vuelta, no había lucha armada ni sentido de revolución; sin embargo, persistente en esa manía escrupulosa de ponerme al margen de la ley, mandé todo al diablo y me fui a militar en un barrio: hacíamos de todo en los barrios, los compañeros de la universidad iban a vender el periódico del partido y se asombraban de que los malandros, los matones de esquina, el Cara 'e Coñazo, Cabilla o el mismo Nectario les compraran el panfleto: son todo un éxito las batidas de los domingos rojos, hasta los lumpen se interesan por nuestras cosas, les comentaban luego los camaradas de la facultad de humanidades, que terminaban cosechando entre lecturas de Benedetti, o entre las notas de la Nueva Trova Cubana, las húmedas totonitas de la extrema izquierda. Lo que nunca les contamos a nuestros compañeros que versificaban al montevideano, es que la noche anterior a Cara 'e Coñazo o a Nectario tres pendejos del barrio les habían metido las pistolas en la boca para garantizar un buen comportamiento y el éxito de la jornada revolucionaria.

Pero ¿qué tenía que ver la pistola, saber halar el carro, poner o quitar resortes, limpiar con aceite los canales y percutores, pasar un seguro o estar al margen de las cosas con La Casa Verde? Llegué a preguntarle a Manuel. Vainas de borracho, me dijo, con ganas de largar la noche y terminar pagando por soltar el esperma dentro de un pocillo sobre una cama de mala muerte; sin embargo, me he empeñado en creer que Antonio se la pasó con un amago de hacer cosas, eso decía. Yo hubiese sido un héroe o un buen tirador, en ocasiones me imaginaba vestido con mallas medievales y una ballesta entre las manos, pero la historia se agotó, ya no podía pensar en la gente miserable por redimir, hubiese podido ser un gran corredor de autos, pero me estrellé en una curva en Chuao y no pude comprarme otro carro, se imaginó corriendo mundo y hasta perpetrando algún tipo de tarea en un comando terrorista, pero, sonreía, no había llegado muy lejos, nadie podía llegar muy lejos, los que lo hacen son ilusorios o ilusiones, ponle el nombre que quieras, la gente da pasos y cree que camina largos trechos y de repente se ve tomando en el mismo bar y hablando la misma pendejada.

Hubo un momento en el cual mi rama sonó, yo sentí el crujido, dijo Antonio. Andaba flaco y ojeroso pero tenía una remota euforia con eso de estar al lado de La Casa Verde. Manuel llegó a creer que andaba enfermo, todo su pesimismo radicaba en eso, en saberse enfermo, a pesar de sus desmanes, no le iba mal, era un buen creativo en una agencia de publicidad, escribió un solo cuento que aun le celebran en los círculos literarios; pero en las vidas las ramas se quiebran, entonces surge el dilema de pasarla o terminarla, tal cual lo había leído.

Era de noche. La casa de mi tía estaba iluminada. Al entrar nos encontramos con los muebles patas arriba, y unos hombres trajeados de negro me tomaron por un brazo y me sacaron a un pequeño auto, me separaron de mi mamá, todo fue vertiginoso, estaba preso, tenía ocho años. Aquellos hombres eran los malos, al fin habían llegado los malos a nuestra casa y sacaban sus armas y acabaron con el día. Antonio fue de nuevo a la rocola y puso un bolero, el tema era de mal gusto hasta para una mesonera, yo sabía que no era amigo del bolero que ponía, lo detestaba y eso le causaba un recóndito placer, me contaría Manuel más adelante, se empeñaba en armar un drama, la casa verde al lado y nosotros bebiendo mucho; fue entonces cuando me dijo que estaba enamorado, pero si él no se enamoraba de nadie, así decía, en una ocasión tuvo un rollo con una niña de la Escuela de Periodismo, se la pasaban juntos, se los veía en las tascas o adormecidos en las barras de los bares chinos, hasta pretendieron irse a Boa Vista tras pedir un carro prestado, querían vivir en ese pueblo, yo les solté que los pueblos de frontera son infames. Irma sonreía y me hacía gestos cómicos, se guindaba al cuello de Antonio, le lamía la cara, perdía sus finos brazos entre su camisa y empezaba a besarlo con agresividad, yo ladeaba el rostro, no me gustan las exhibicionistas, se lo dije mientras orinábamos y esa fue la única vez que me levantó la mano, pero la dejó caer sobre la loza del baño. Respiró profundo, su pecho iba y venía como un océano, estábamos encerrados y se puso a reír, se puso a reír a carcajadas, a todas las mujeres les gusta que las vean meterle mano a su hombre, continuaba riéndose, todas terminan mostrándose a los otros, esa es la verdad, se acuestan con quien las ve, las huele o las escucha en el momento en que aman.

Fue al lavamanos y abrió el grifo, se echó abundante agua en el pelo, parecía que sudaba, pedía perdón y me repetía que todas las mujeres eran así, que no había vuelta, que en realidad no amaba a Irma, él no iba a amar nunca a ninguna mujer, fue en ese momento cuando volteó y me miró extraviado. Sólo se dejan amar los héroes, es su lujo. Salimos a la barra y comenzó a jugar con Irma, le preguntaba qué pretendía ella con eso de irse a Boa Vista. ¿Esperaba encontrar mucho oro? ¿Traer mucho oro? En Boa Vista no hay oro ni nada que refulja, y le preguntó de nuevo para qué coño viaja una mujer y lanzó una carcajada, estaba fuera de si: ¡Para dar el culo! Vino el silencio, las interpretaciones, los lugares comunes que presuponen el disgusto. Ya Irma no me miraba como antes, se ajustaba la blusa con vuelitos de marinero. Tampoco miraba de frente a Antonio, quien rompió el silencio con otro grito: ¡Para Brasil, para ese maldito pueblo de frontera, te vas a ir sola, puta del coño! Y abandonó el bar corriendo. Esa noche Irma y yo la pasamos bien. Hay quienes no ignoramos las revanchas.

No supimos nada de Antonio por días, no fue a trabajar a la agencia, no se le vio sentado en el café de siempre, rastreamos los bares chinos del Este de Caracas; Irma, luego de ir a la morgue y a los hospitales, comenzó el gran drama, iba a la casa de la mamá y le suplicaba que no se lo escondiera, que ella andaba mal y se disculpaba conmigo, decía que aquella noche estaba demasiado frustrada y borracha para pensar nada claro, nos suplicaba a los amigos que por favor le dijéramos que lo esperaba, que no entendía nada de la vida o del amor. Esa mujer empezaba a molestarnos, la eludíamos, una tarde me citó a una barrita china y me dijo, Antonio está aquí, ya ha vuelto al trabajo. Se tomó dos cervezas en silencio y se fue, más nunca supe de ella. Era espigada, blanca como una porcelana húngara, bella.

Antonio había regresado. Estuvo en Boa Vista, llegó hasta Salvador do Bahía, había viajado y contaba toda suerte de aventuras, había decidido que en vez de llevarse a una mujer a un lugar, es mejor traérsela. Y así lo hizo. Se trajo a una mujer que nunca amaría. Desde el comienzo los amigos tuvimos las más amplias libertades con ella. Luego se sabe lo que hizo Antonio, dejó a la brasileña por una enfermera y a la enfermera por una vendedora de ropa íntima, y de allí en adelante cabe decir que su vida ni siquiera fue promiscua y descuidada, sencillamente estaba desprovista de historia. Eso es lo mejor que le puede suceder a uno, prescindir de las historias de amor, son un fastidio. Fue entonces cuando me contó Manuel que le dijo Antonio que su padrastro llevaba la foto de la mamá en la cartera una tarde cuando intentaron detenerlo, él lanzó la cartera al piso y disparó tantas veces como balas tenía en su arma, la cargó y se fue corriendo entre autos y personas y disparaba, nunca supo cuándo dejó de disparar. Yo vi el cadáver del hombre, me dijo, tenía varios tiros en el cuerpo, los policías me pegaban la cara al vidrio que separaba al muerto de nosotros y me gritaban que eso lo había hecho mi papito. Callé, me preguntaron cosas, la policía pregunta cosas, pero yo sólo recordaba los muebles patas arriba, creía escuchar al viejo bávaro de lengua tartamuda responder algunas preguntas a gritos, me pareció un viejo idiota en aquel momento, mi mamá esposada, mis hermanos encerrados en un cuarto y todos terminamos con nuestros culos en una comisaría de Caracas. Esa era la parte prescindible de la historia, me dijo, o sea, sería ideal podar de ripios una historia personal como se despoja a un poema, esa parte de la historia no ha debido ocurrir nunca, ese era el punto que me hubiese reservado. En realidad no te entiendo, dijo Manuel, no había nada que entender en la vida de un hombre contesté yo, y le pregunté qué tenía que ver todo esto con la casa verde y eso de que Antonio estaba enamorado.

Me miró como a un idiota y se encogió de hombros, entonces fue cuando Antonio me tomó de un brazo y me soltó que iba a entrar por esa puerta, me señaló la entrada de la casa verde: finalmente se justificaría, tenía dos días intentando penetrar a su chica, sí, su chica, ésta sí era su chica, como dicen los gringos, pero no me funciona este asunto y se agarró la entrepierna, porque tú sabes, a pesar de lo que te he dicho, cuando uno llega a esta edad y se confronta con un mundo que no se corresponde contigo, se debe sentar cabeza y hacer un punto bien definido en el papel, pero también se te debe parar la verga cuando las circunstancias lo exigen. ¿Qué quería decir con todas aquellas imágenes de borracho? No me lo preguntes. Me contó que adentro lo esperaba la mujer con quien se iría de una buena vez, trataba de hablar como si armara un diálogo de una vieja película, que ya conocía, la conocía mucho, era como si fuese su primera y lejana novia, un reencuentro. ¿Estás seguro? Le pregunté por decir algo, había ido a la cama ya dos veces con ella, es la gloria, no es que tenga un cuerpo contundente, te lo dije, no la he podido penetrar, o sí, sólo un poquito, no sé bien, he visto chocar mi barriga con su vientre, tiene un aro en el ombligo y un tatuaje en la ingle; pero no la he podido cargar como se debe, es por eso de la edad y el alcohol, ella es joven, flaca, las tetas ya caen y a pesar de ser muy blanca tiene los pezones renegridos, pero es bonita, he rozado mi cara con la suya y es sutil, ¿sabes lo que es sutileza? Me preguntó. Yo tampoco. Uno se la pasa buscando mujeres intensas, bellas, inteligentes; mujeres que se saben vestir y que pueden causarte un dolor de pecho al mostrarte la dentadura, pero si una mujer roza su mejilla a la tuya y es como una brisa, comprendes que siempre va a ser tersa, te das cuenta de que el amor no tiene muchas letras y que no reviste a un conjunto de huesos. Manuel, le tengo miedo a los huesos, me dijo y todos perderemos finalmente la piel.

Pidió la cuenta y una cerveza para mí. Iba a entrar. Se arregló la camisa, se ajustó el cierre de los pantalones y se pasó la mano por el pelo, no volteó a verme, se fue como un cobarde.

Temprano en la mañana supe que se había matado.

El último viaje de El Begoña

Desde la cubierta del barco se divisan las luces del litoral central. Yo, el traidor, regreso al país en el último viaje de El Begoña.

Recuerdo la mañana de otoño en Southampton, la niebla cubría las dársenas por donde caminaba junto a John, mecía una ebriedad que nunca me abandonó durante mi estancia en Inglaterra. Había vivido seis meses en Londres huyendo de mi pasado; las montañas de Humocaro, las marchas miserables de la columna guerrillera, la emboscada. Huía de la memoria, el lugar donde quedan las culpas; una y otra vez los testículos y el ano sudan bajo el rigor de la electricidad, llueve a cántaros, la delación o la muerte son las alternativas que le pondrán fin al dolor, al aguacero y a la selva.

Estaba al pie de la escalerilla de abordaje del trasatlántico italiano, John me abrazaba, se asía a mi cuello como una novia. Yo no quería ver sus ojos, azules y tristes, expresando la ternura retorcida de un maricón de Camden.

Desde uno de los pisos de El Begoña largaba mi postrer vómito sobre la pérfida Albión. Viajaba en tercera clase, me tocó un camarote en los niveles inferiores del barco. Era un lugar infame que compartí con tres jamaiquinos. Me peleé la parte superior de la litera. Allí tumbé mi cuerpo boca arriba, contrarrestaba las náuseas y el mal olor de mis compañeros con un pañuelo empapado en ginebra y dos o tres pataditas a un mitológico petardo de marihuana, atmósfera que respiraría sin pausas durante las próximas veinticuatro horas.

Cruzamos el Cantábrico. Dejaba atrás seis meses en los cuales, a la maldición que me persigue por delator, agregué el estigma de una relación ambigua. Uno llega a Londres a principios de los setenta con los prejuicios que nos son comunes: tenía una verga latina, repartí con ella bendiciones y maldiciones, un hisopo irrespetuoso que no guardó consideraciones a la hora de la yunta. Así anduve los primeros tiempos con Margaret, una pelirroja de generosas tetas y grandes ojos verdes, y que consumía sus días entre viajes de LSD y la práctica del *fellatio*. Era impresionante. En el pequeño e infecto ático de una vieja casa al sur de la ciudad, que compartía con unos cuantos amigos, Margaret pasaba días enteros con la mirada en ninguna parte, se mecía sentada sobre sus piernas en posición yoga, en medio de sacos de dormir y velas a medio uso. Cuando regresaba de sus peregrinaciones psicodélicas, se encontraba sobre un charco de orines. Sin aspavientos. Sonreía, extendía su mano y allí me encontraba a veces a mí, a veces a cualquier otro; nos arrodillábamos frente a ella y dejábamos que bajase nuestras braguetas, la mía o la de otro; entonces una verga, la mía o la de otro, se le ofrecía para ser devorada con el hambre alucinada de su boca, devorada hacia el estallido convulso o la epilepsia gloriosa. Nunca pude hacer otra cosa con ella. O sí. Una tarde, tal vez una noche –no tenía noción precisa de las horas–, dejó que la derrumbara sobre sus espaldas y me le montara como un ciervo. Le quité el saco de lana curtida, la despojé de la camisa de algodón gris y dejé a sus tetas enfrentarme, blancas, manchadas de pecas, prepotentes. Como un ciervo las lamí, tragaba sus pezones del mismo modo como tragaba los culitos de las peras en los días de hambre frente a un toldo de frutas en el mercado de Portobello. Creí que a partir de allí la cuestión era afanarme un poco con las manos. Traté de acariciarla debajo del amplio faldón con el que se la veía caminar a veces por Hyde Park, pero ella me detuvo y forcejeamos hasta que terminé vencido sin poder penetrarla, con el pene entre sus senos, derramado y dormido.

Mi relación con Margaret, como era común en aquella época, era oblicua. Yo vagaba de norte a sur, entre *pubs* y conciertos de rock, bebía con amigos eventuales y fumaba marihuana. Aquellos días mal llevados buscaban procurarse el olvido, aspiraban anular las sesiones de tortura en un teatro de operaciones antiguerrilleras en Yaracuy; sobre todo se esforzaban por borrar de mis recuerdos aquel momento que sigue hoy superponiéndose como secuencia fílmica: bajo un torrencial aguacero delataba a los campesinos que servían de enlace con el campamento de mis camaradas.

Una tarde de primavera, cuando iba a buscar a Margaret para salir a tomar el sol por Camden Town, conocí a John. Un grupo de amigos tomaba té con leche y fumaba hachís bajo un toldo frente a un lote de tierra al borde del quicio de la cocina. Hablaban un poco de todo, de los bombardeos en Camboya, del próximo viaje de Nixon a la China, y otros de los tantos lugares comunes del momento. John me miró con sus ojos azules y tristes, desde abajo, sonreía y me miraba, lo hacía insistentemente. Me sentí incómodo pero aún así le seguí la pauta y me encontré involucrado en un juego de miradas que culminó en largos paseos por Hampstead y sesiones de cine en las madrugadas de aquella primavera.

Continuaba mis incursiones promiscuas con las mujeres londinenses, fue extraña la constante del sexo anal en mis relaciones, nadie se lo propuso, pero nunca fui más allá de las penetraciones por los caminos de Sodoma. Al comienzo la cuestión me resultaba extravagante, pero a medida que fue pasando el tiempo y se fue haciendo de rigor la acometida trasera, me sentí presa de un insólito determinismo. John, por otra parte, continuaba con sus acechanzas. Me sentí envuelto en un nuevo episodio trágico que añadiría otro eslabón a mis remordimientos.

El Begoña tocó el puerto de Vigo una mañana de sol frío y cielo intenso.

Yo no me había atrevido a abandonar el camarote desde que salí de Southampton. Jimmy, el negro rastafari que compartía la litera conmigo, se había encargado de procurarme el alimento a cambio de que yo le comprara yerba; luego les brindaba a él y a sus compañeros en las sesiones de reggae que hicieron ligero el tiempo en aquel camarote, convirtiéndolo en una expresión plástica. Decidí levantarme, vencí la apatía propia de las grandes tenidas de cannabis, y me duché como pude en el baño angosto. Me miré al espejo, era un espectro barbado que reflejaba los males de su conciencia: una mueca. Saqué de mi equipaje unos pantalones y una camiseta de mangas largas, ambos de algodón. Me vestí y salí a pasear por la cubierta. Esta era inmensa, de madera bien lavada en donde el sol brillaba a pesar de su lejanía invernal. Grupos de viajeros se reunían en torno a una guitarra sobre las barandas y alrededor de la piscina. Mis amigos de las West Indies tocaban el bongó cerca del comedor, mientras una muy mala bailarina alemana trataba de seguir el ritmo. Todos en el barco habían ligado, cada quien tenía su espacio, su tribu, todos menos yo. Cuando El Begoña zarpó, Vigo fue quedando atrás, tardecino y blanco. Entre los grupos destacaron dos caras nuevas. Un par de galleguitas que paseaban agarradas de las manos luciendo sus amplios vestidos floreados, miraban de hito en hito a los jamaiquinos, a los marineros, a los camareros y a los integrantes de la orquesta; me di cuenta de que buscaban pelea. Este sería probablemente el último viaje trasatlántico de ese buque, en el futuro ya no habría otros viajes similares. Sentí nostalgia mientras veía el hermoso culo de una de las galleguitas. Un mundo sucumbía y yo regresaba en el naufragio.

Pasaron los días y nos internamos en el Atlántico. Las cosas no habían cambiado mucho, yo seguía viviendo en un mísero camarote, seguía fumando monte y tomando ginebra, andaba solo, pensaba en las pocas probabilidades de sobrevivir al regreso. En alguna calle de Caracas un comando terminaría por fusilarme. Pero ¿qué otra cosa podría hacer sino regresar para acallar mi maldición que gritaba desde un coágulo profundo?

Me enteré por Jimmy de que las galleguitas ya andaban en caída libre, devorando a la tripulación completa. Me animé y subí a cubierta. En el comedor, la orquesta tocaba unas baladas. Sin preámbulo abordé a una de las gallegas y comenzamos a bailar. Bailamos hasta la madrugada. Sus pequeñas e insignificantes historias fluyeron a mis oídos. Tenían dos novios que las esperaban en La Guaira, dos gallegos que acababan de comprar una tasca cerca del puerto. Ellas debían brindar sus virgos en sacrificio a estos señores que se habían matado trabajando para abrirse un espacio en América. Nos fuimos afuera, a los pasillos laterales; la luna grande reinaba sobre el océano, la recosté en la baranda y comencé a besarla. Me desboqué, abrí su camisa y saltaron sus tetas. La besé y asiéndola por la cintura la apreté contra un rincón, me froté sobre sus anchas caderas. Ella forcejeó y logró librarse de mi abrazo, la otra manola nos miraba, se acercó a nosotros, me pidió un cigarrillo. Hablamos los tres y nos fuimos a la habitación. Allí jugamos hasta el amanecer.

Así pasaron los días. Jugábamos, jugábamos mucho, pero mi sino persistía: no había logrado coyunda lícita con ninguna de las dos. Desesperaba. La mañana próxima llegaríamos a La Guaira y nada. Me cité con María José en su camarote, a solas. Quería pasar la noche con ella, quería hacer el juego de las frutas: cortar trocitos de mango, de piña, de cambur, ponérselos allí entre las piernas, colocárselos en el objeto de mi deseo y hurgar con la lengua, ir tras de ellos. Quería repetir aquellas acometidas de grupa donde se quebraba mi voluntad. Era nuestra última noche, era quizás una de mis últimas noches, yo navegaba, al igual que el barco, un último viaje. María José estaba sentada en una de las puntas delanteras de la cama y yo frente a ella, su lengua recorría mi torso, sus dientes me procuraban un dolor fijo, pequeño, soportable. Era grandiosa con la boca. La lancé sobre sus espaldas e hice que replegara las piernas hasta que tocara sus costados. Se asustó un poco. –No, por el coño no, tío –me dijo. Y yo le pedí que estuviese tranquila, que haríamos el camino acostumbrado; pero yo la quería de frente, mojando mi pubis, calentando mi bajo vientre. Y así lo hice, calcé la daga hasta la empuñadura y la herí repetidas veces, ella se aferró a mis hombros y me mordió de veras. Fue en ese momento, en ese preciso minuto, en el que tomé la decisión definitiva. Saqué mi verga, subí un poco mis caderas y arremetí con la desconsideración del homicida sobre la indefensa puerta. La abrí. Con furia di cuenta del sagrado virgo. Entonces la gracia descendió sobre mí, apartándose por siempre de ella, que se quedó fija en lo más profundo de la cama, como una mariposa clavada en un corcho. Esta vez me liberaba de la tortura y de la delación, de los juegos voluptuosos con el inglés, nacía de la tierra y en ella me vertía. Al terminar, me paré, encendí un cigarrillo, me vestí. María José estaba boca abajo, lloraba y me maldecía. Por primera vez me sentí libre de remordimientos. Ella, en el peor de los casos, sería repudiada por el gallego y tendría la oportunidad que brindan los burdeles caros a las mujeres bonitas.

Ya amanece, me sobrecoge la mañana, el barco entra en el puerto. Yo, el traidor, el abominable, fumo mi último cigarrillo ante el país que me servirá de paredón. Ha culminado el último viaje de El Begoña.

Lady in black

Pido un trago de Caldas con Coca Cola y desestimo con un gesto los improperios de Pichita Karina. Se pierde algo más que una apuesta cuando la pierna débil baila sola. ¡La caballerosidad y los huevos! –me grita–. No jugó mi zurda. Al menos no pensé en la jugada. La adversidad es una ejecución inapelable.

Recuerdo cuando di el remate de cabeza en el amistoso de Wimbley, el balón dejó una estela curva sobre los defensas mientras el guardametas alzaba sus manos hacia el palo equivocado. Los *hooligans* se quedaron sin voz en las barras, marcharon por las calles del pueblo con sus estandartes. Más tarde devastarían el pub Boat Arms y saldrían a reventarle la madre y los huesos a los negros y a los indios de los suburbios. También hubo disparos al aire en las comunas de Medellín. En los bares del Envigado se brindaba por El Caballero. –Muy berraco, el hijo de puta. Me han dicho que no salga de la casa. Que no juegue dominó con los amigos.

–La cagaste. Todos saben cómo se jura en Medellín. Y me han dicho que me la han jurado sobre un puñado de cruces. Pido otro ron con cocacola. A la voz de Pichita Karina se suma la de Manuel Cabezón y la del Turco Truco. Me emputan los paisas. Mientras yo alzaba la Copa Libertadores de América buscaba un punto diminuto en las tribunas. Una sonrisa presentida. Unos ojos luminosos. Fabiola estaba entre la gente de la barra, tensaba uno de los extremos de la tela tricolor: hacían bomba y la elevaban sobre sus cabezas. Ella era la gloria amortajada tras el lienzo. Se lanzó al campo, dibujó una estela impecable que la diferenció de los otros, cruzó la media cancha y tomó mi vida. La perdí en Atlanta. No sólo pierde lo berraco, sino también la hembra –suelta el Turco Truco. Repito mis gestos, quiebro la muñeca, les pinto una paloma. Me sobrecojo en la mesa. Los demás le hacen coro al Turco y me sabe a mierda. Siempre me he jugado la vida en la grama, no me la van a cobrar ahora sobre el cemento.

–¿Cuánto te pagaron? Para mí era habitual estar sembrado en un estadio y ser vapuleado por cien mil gargantas. Uno se acostumbra. Nunca sentí miedo, ni me confundieron los malabares de las piernas del delantero contrario. Hice lo correcto frente a un jugador que busca centrar la pelota. No hay mala suerte. Un hombre cumple con su rol. Me sobrepuse a la tensión que se ovala sobre una cancha. Al silencio que rompe el grito como una navaja. Al grito que corta el silencio como un bisturí. La atmósfera es un arma blanca que tasajea en forma de cuadrícula todo el campo. El delantero se adentra en mi área, cuadro mi jugada, un tercero se posiciona, el portero sale a marcar, me siento parte de una coreografía perfecta. Sé lo que vendrá: la finta, el quiebre de caderas, el gambito, pase al tercero, el chute. El balón exhala su trayectoria angular y hace gol. Pero no, porque estoy allí para trastocar la danza. Sin pensarlo, me deslizo sobre el campo. No dudo, miro a la multitud por un segundo. Fabiola trajeada de negro con la bandera tricolor pintada en ambos pómulos, se proyecta en un haz de luz, es una película. Voy contra la brisa, la luz es un negro absoluto, es Fabiola. Una vez centrado el balón, me abro como una bailarina, deslizo mi pierna sobre la grama, le doy a la pelota con el taco. He debido botar el cuero, ha debido hacer córner. Le robo la heroicidad al delantero del equipo contrario. Autogol. Los galos siempre han creído que el cielo puede venirse abajo y aplastar a los hombres. La niebla se confunde con el humo de los cigarrillos, entra al bar por los resquicios de las ventanas. Afuera la lluvia cubre el pavimento. Detonan los casquillos de la noche. Todavía hay quien sostiene que continúo siendo El Caballero. Nadie me va a quitar lo bailado. Precisamente –acota Pichita Karina–, su voz se superpone a las del Turco Truco y Manuel Cabezón. Las hojas de las puertas del bar entrechocan, al cerrar producen golpes sofocados, Fabiola se abre paso, lleva un sobretodo negro, hay majestad en ella, no viene sola, escucho los carros de las armas, se corren, las balas se acuestan en las recámaras, ella es la delantero que ha cruzado media cancha y la centra, las sombras que le hacen flanco chutan. Saltan los casquillos y huele a pólvora. Me echa encima el sudario tricolor.

Cross

"Sopló la tormenta, del sur cada vez más rauda"

Tabilla 12. Texto asirio. Poema de Gilgamesh

I

Había estado lloviendo durante más de un mes. Christian pensó que, de no haberse peleado con Sofía, estaría haciendo sus mejores fintas en las carreras de El Hatillo. Definitivamente, necesitaba una musa para hacer motocross.

Esa mañana la voz de César Miguel en la radio sonaba apesadumbrada. Christian no era afecto a ser despertado por noticias lóbregas. Cambió el dial y se encontró con que una y otra emisora se escuchaba la voz del locutor. Continuaba lloviendo fuera, el día estaba gris. Pensó en la gente que vivía al otro lado del cerro. Al otro lado del cerro está el mar y entre cerro y mar debe estar la gente. Un dique de gente. Un dique débil y flexible. El dique ha cedido. Así lo confirma la radio. Entonces, los escombros son brazos y piernas descoyuntados.

Se levantó, tomó su tiempo en el baño y se hizo a la idea de que no iría a barrer la rueda trasera de su moto en La Vuelta del Zorro. Sofía lo había dejado y él ya no tenía ganas de tomar el volante y quebrarlo al salto para caer sobre una de sus piernas abiertas y convertirla en palanca y balancín.

Siempre anduvo en eso de cabalgar una tara, de ahorcajarse en una 250 c.c. y poner su cuerpo al servicio del puño que acelera, del pie que cambia, de los dedos que frenan y sueltan la manilla del embrague, de la espalda que se dobla, se convierte en joroba y que eventualmente recibe las tetas generosas de una linda niña parrillera. No sale el sol y Christian continúa caminando por su pequeño departamento. Deja sobre una butaca los cuerpos abiertos de los diarios. Estaba paralizado dentro de su pijama, tenía ganas de mear, comprendía que había pasado algo grave en el país. Pero suena estúpido estar solo, y tramar la solidaridad sobre la algarabía del desastre.

Repicó el teléfono. Era Mario: Que si tal, que si estaban armando un grupo de personas diestras en eso de manejar pantaneras para bajar a La Guaira.

II

Hace tres noches que a Matías se le vino el mundo abajo. Había salido de la cárcel de El Rodeo hacía un mes y no tenía otra opción que la de volver a la casa de Dolores. Dolores vivía con otro tipo; sin embargo, era la mamá de sus dos hijos. Dolores le consiguió un cuarto en Carmen de Uria y Matías se las arregló como siempre. El no quería volver a mover las bolsas de perico en las esquinas de Macuto, ni deseaba disputarse a los naricitas en una discoteca con la banda de malandros de Caraballeda. En fin, consiguió un trabajo en el mercado del puerto, ayudando a descamar y destripar pescado. Siempre llevaba las manos enrojecidas y el mal olor lo acompañaba por la vida que trataba de rehacer. Parecía resignarse. Sabía que la acidez de los cadáveres marinos penetra la piel para no irse nunca: Tú puedes matar a un hombre, abrirlo en canal con tus manos, y el olor no se te queda encima, le contaba a un amigo mientras tomaba una cerveza.

A pesar de no andar resolviéndole la vida a los que estimulaban sus noches frente a los caminos de la costa, y dilataban sus vías respiratorias superiores con yodo, sal y alcaloides, en algunas ocasiones hacía una que otra encomienda, para no perder su segura y pequeña clientela: tú sabes, sin muchos compromisos, nada de alta intensidad.

En eso andaba el día anterior a las elecciones. Las lluvias persistentes tenían a mucha gente corriendo. Igual corrían la policía y el ejército, estaban finiquitando la logística para el referéndum.

El ambiente estaba cargado de estática, doña Fela no era la única que había tenido que mudar sus corotos porque medio cerro se le encimó sobre la casa. Los Backstreetboys también andaban nerviosos se mudaban de punto y movían la mercancía constantemente. A Matías se le caían las llamadas que les hacía desde los casilleros, era imposible comunicarse con los celulares de sus proveedores. Un amigo en el mercado le dijo que si quería conseguir a los Backs, tenía que bajar a La Guaira. Y así lo hizo bajo el torrencial aguacero. Miraba sus manos rojas y lo aturdía el penetrante olor a tripas de pescado que lo calaba hasta los huesos. Había decidido dejar de ser un destripador de bichos del mar, se abriría con una venta de cerveza en las playas de Camurí.

III

Los camiones del ejército despejaban la ruta entre las riadas de lodo. Sus grandes ruedas cerraban el camino. Desde la madrugada el movimiento se hizo insidioso. Las personas que lograban ser transportadas a las escuelas votaban y a saltos buscaban que las trasladaran de vuelta a sus casas. Idas y venidas de los convoyes mientras el cerro suena. Suena mucho y ya no se ve el cerro, las quebradas se han salido de madre. Cuando una quebrada se sale de madre ya no es una quebrada, cuando un río que baja desde una montaña se ha salido de madre, ya no es un río. La palabra aluvión no le dice nada a quienes tratan de llegar a las partes altas de sus casas para salvar la vida. No les dice nada la frase eyección geológica a quienes se ven ganados por una materia espesa que los alquimistas más avezados dudarían nominar. Es una materia que arrastra grandes rocas y troncos, que mueve con voluptuosidad los *containers*, las grúas en el puerto, los postes del alumbrado. Todo se mueve. Casas, quintas, ranchos, condominios, vacas, empotrados, gente, burros. Dicen que el diablo está cagando arriba en la cima del cerro. Dicen que no es barro lo que prodiga santa sepultura. Es mierda. Viva y maldita mierda. Ya los camiones han dejado de pasar, la gente no vota, los soldados han quedado aislados en las escuelas. Cae el diluvio. Cae la noche. Nadie cree la historia de Noé.

IV

Christian estaba contento. Lo había llamado Sofía. Le había dicho que le hubiese encantado acompañarlo, pero ya estaba involucrada en otros asuntos. A Christian no le importaba mucho que Sofía se quedara. A Christian le importaba la llamada de Sofía. Ella estaba enterada. Sabía que él iría a correr su montañera por el litoral, que reharía las calles, sería de nuevo un campeón, rompería sus propias marcas, rescataría ancianas, niños. Llegaría hasta los edificios donde izaban los trapos manchados de lodo e indicaría a los pilotos de los helicópteros dónde la tierra era propicia para los aterrizajes. Abrió el armario en el que guardaba el traje que utilizaba para sus carreras internacionales. Recordó un episodio de la Guerra de las Galaxias: el poder estaba con él.

V

Y Matías no pudo volver de La Guaira. Pasó el día y la noche y se enteró de que se estaba acabando el mundo, de que el cerro se venía abajo. Al principio ayudó a la gente que pedía auxilio, luego pensó en Dolores, en sus hijos. Seguramente estaban bajo el lodo. Casi todos estaban bajo el lodo. Había mirado con estupidez las palmas de las manos de una niña tapiada, las veía hinchadas, tumefactas. Así vería las manos de Dolores, así vería los pies de sus hijos.

La gente deambulaba por las calles, dicen que cuando los aviones en las guerras lanzan sus bombas, el momento inmediato, el momento de la desolación, es un momento mudo. Los sobrevivientes caminan entre escombros y exponen sus muecas. Pero reina el silencio, nadie escucha, se acaba la bulla. Entre parias estaba Matías y no sabía qué hacer sino ir con algunos de la banda de los Backs a las dársenas del puerto. Se movía en aquel silencio trágico, abría los *containers* y pasaba toda la mercancía de mano en mano o reventaba las puertas de un negocio y se echaba al lomo una pierna de jamón y bebía. La curda era gratis para todos, no había que esperar decreto alguno.

Dónde quedaba Caraballeda. Dónde Carmen de Uria.

Si caminaba hacia el este, iría en sentido correcto. No estaba seguro. Caminaba y entraba junto a otras sombras a las casas vacías a patear muebles, a arrancar de cuajo los aparatos de aire acondicionado, a lanzar desde los balcones los hornos microondas. Como huestes justicieras atravesaban las urbanizaciones. Tomaban venganza según su manera de ver las cosas. La libertad se les revelaba bajo signos extraños y circunstancias excepcionales. La libertad tiene consecuencias. Ahora lo andan buscando, lo buscan igual que buscan a los otros, no importa que la mamá de Mario haya salido declarando que su hijo no era delincuente y que –si a ver vamos–, yo vi a hombres de uniforme practicar el saqueo. Matías recordaba una lectura o una película donde los ejércitos cobraban sus victorias con naturalidad practicando el saqueo. Lo andan buscando para darle con bates y romperle los huesos y lanzarlo al lodo, lo buscan para montarlo en un helicóptero y lanzarlo mar adentro. Uno de los Backs le contó, mientras calentaban sus huesos en una fogata de hojas de palmera, que había visto en Punta de Mulatos cómo unos hombres vestidos de negro y con pasamontañas alineaban a unos carajos del barrio Montesinos y les disparaban uno a uno en la nuca: parecía una película, hermano. Si pudiera coger para el monte, no lo dudaría. Caminaba y se abría paso hacia el Este.

VI

Era tarde en la tarde. El sol comenzaba a declinar en un mar turbio. No existían caminos, la superficie era baba, gargajo, esputo, desolación. Sobre el promontorio de barro endurecido aparecieron las motos montañeras, los que las conducían llevaban puestos uniformes parecidos a las partes de una armadura robótica.

La violencia se caracteriza por ser abrupta. Christian no tuvo tiempo de apretar el puño, de acelerar, soltar el embrague y afincar la pierna para que le hiciera de palanca y lo ayudara a dar uno de esos giros que sacan los aplausos de todas las niñas hermosas que lo aúpan en las gradas de El Hatillo. Un hombre surge del barro, le pone la mano encima y lo derriba sobre el suelo gelatinoso. Sus compañeros no se enteran y se pierden tras el sol que se hunde en el mar.

Mientras la tierra se lo traga, Christian no piensa en Sofía. Lo aturde un penetrante olor de cadáveres marinos, de escamas y entrañas de pescado.

Una de Jim Morrison

This is the end, beautiful friend.

This is the end, my only friend.

Tengo la mala costumbre de invitarme a cenar a la casa de mis amigos. Soy impertinente. Uno de estos días Calixto o Margarita terminarán por echarme.

Me presento puntual al finalizar el día. No les doy tiempo para cambiarse, bañarse ni para estar un poco a solas. Soy peor que una venganza. Tengo otros amigos, podría molestar a Alberto y a Consuelo o a Ramón, que anda divorciado.

—Cuando se ha vivido algo te das cuenta de que puedes franquear la puerta de cualquier persona —le dije a Calixto mientras sacaba una botella de ron de la bolsa de papel.

Han vuelto a dar bolsas de papel en las licorerías.

Calixto abre la nevera y hace silbar tres latas de cerveza. Un silbido sensual que me recuerda mi primera cerveza. La robé de la maletera de un Mustang 68, hará algo más de treinta años, al pretendiente de una tía. Por aquella época yo era una criatura antipática y mostraba los dientes de una adolescencia aburrida.

Margarita entra a la cocina y me sonríe, tiene una sonrisa limpia que adoro. Les comento que ando escribiendo una nueva novela, que no haré guiones cinematográficos, ellos ya lo saben, pero les hablo sobre los avances en la trama hasta ahora imaginaria. Ambos levantan las latas y brindan por la novela imaginaria.

—Tengo treinta cuartillas borroneadas —Hacen el gesto de nuevo, pienso que se burlan, levanto mi brazo y bebo.

Cuando voy a casa de Calixto y Margarita no cenamos. Al menos nadie cocina. O cenamos por aburrimiento. Abren la nevera, sacan filetes de salmón ahumado y ponen galletas sobre la mesa, descorchan unas botellas de vino blanco y las bebemos en recipientes de mermelada o de queso fundido.

—Son los mejores vasos —Solemos decir.

Entonces para qué la copa. Antes, recién casados, se esmeraban y sacaban copas y ponían carne con uvas pasas en el horno; Margarita sonreía, nunca ha dejado de sonreír; es hermosa cuando lo hace. Sonreía y dejaba que sonara algo de jazz, muere por el jazz; ahora nos sentamos en el *pantry* desnudo, con filetes de salmón y galletas, intercambiamos frases y bostezos. De eso está hecha la vida verdadera.

—Es lo dramático —me dice Calixto, aprovechando que su mujer ha ido a poner algo de música.

—Qué nos queda —*riposto.*

—En la vida común hay más bostezos que frases —repite mi amigo; sus ojos están opacos—. Uno cree que se enamora, eso te hace sonreír, sentir la tesitura de la existencia, quieres compartir la vida con alguien por siempre, piensas que las miserias son mitos de personas fracasadas.

—Saca otras cervezas, las destapa, veo a Calixto de espaldas, deja caer los hombros, se encorva un poco; esto es nuevo, mis sentimientos se comprimen, quiero decirle que siempre lo he advertido, se lo dije a él y a Margarita, una y otra vez cuando insistían en compartir la vida y otros enseres.

—Para qué van a ponerse a vivir juntos, la tragedia comienza cuando uno va metiendo la ropa de contrabando en el armario del otro —supuse que lo decía porque pensaba que estaría bien que Margarita tuviera a escondidas mi cepillo de dientes en el gabinete de su baño. No tiene sentido reconvenir a los amigos. A Alberto y a Consuelo no les va mejor.

—Esas son vainas que suceden luego de la luna de miel, es un mal de tres años; luego, sentirás que lo necesitas para hacer llevaderas todas las horas muertas del resto de la vida —trato de zurcir y bordar—. Si te crees Bogart o Mickey Rourke, para qué carajos abriste tu armario y firmaste ante un juez.

Veo a mi amigo doblado sobre sí mismo y sin embargo hay un rótulo de tranquilidad en la pareja. Calixto y Margarita han aceptado caminar tomados de la mano hacia la vejez.

Quizá sea ése el error de quienes viven juntos, aceptar que leerán a coro las líneas de un guión. Les digo que me voy a servir un trago. No más cerveza. Margarita me hace un no con su largo dedo índice. Calixto sale de la cocina.

—Y tú ¿no te piensas casar?

—Me encojo de hombros. Ella sonríe.

—Me hubiera casado contigo. Tan sólo por tu sonrisa de luz lunar —río—. Mis amigos me han salvado de cometer la insensatez —imposto con un tono melodramático y ella lo resiente.

Coge un vaso y dice:

—Sírveme un poco. Me animo con tal de que me cuentes tus

historias de amor.

—¿Crees que tenga historias?

—Debes tener una distinta a la de ser el enamorado de las mujeres que se casan con tus amigos.

—¿La de amante?

Es encantadora. Usa las camisas de Calixto y lleva el pelo suelto. Siempre anda así por la casa. Me ha sabido cantar unos de los decálogos de Moisés. Por qué darme por aludido si nunca he deseado a la mujer del prójimo. Quise decirle sí, en algún momento lograste sacarme un suspiro quejumbroso y ahora me inquietas de nuevo. Me guardo todos los suspiros porque, como una procesión, deben ir por dentro... Apuro un trago. Me sirvo otro. Viene Calixto, se ha cambiado, se ha puesto pantalones cortos y pantuflas. Es todo un señor de casa. Nos ponemos a beber en silencio y dejamos que la atmósfera se cargue hasta condensarse. Siento que alguien va a gritar o a llorar.

—No hay nada que decir sino tonterías —dice él.

Yo le respondo que todas las conversaciones son tontas. Si uno se pone a sacar en limpio las conversaciones sostenidas en la vida, apenas rescataría tres o cuatro frases.

Margarita pide que le sirva otro trago, le pregunto si quiere que le ponga Coca Cola y ella me dice que no, sólo hielo, siento el peso de su mirada, no me atrevo a confrontarla, hay rabia.

—La gente no se puede pasar la vida pensando que todo es una mierda —dice.

—Yo me tomo las cosas a manera de inventario —respondo—. No me hagas caso.

Ella arremete de nuevo.

—Te la pasas hablando sobre la pesadumbre y sobre la inutilidad. Eres majestuoso al decirlo. ¿Qué te pasó, Rubén?

—Nada.

Me comenzaba a saturar con increpaciones de baja intensidad. Calixto me miraba y sonreía. Su sonrisa era amarga. Ella continuaba.

—Dijiste que el amor era una virosis.

—Hubiese sido peor catalogarlo como una patología bacteriana.

—No es gracioso —dice Calixto—. Es demasiado para mí. ¿Qué te pasó? ¿Por qué arrugaste?

—Porque siempre hay un ángel liberador.

—Te gustaba.

—¿Quién? —miré a Margarita—. Hacía calor, había tomado un cubo de hielo y se lo pasaba por el cuello.

—Consuelo.

Consuelo iba a los seminarios sobre creación de guiones cinematográficos. Íbamos todos. Uno va con expectativas a los talleres y seminarios, son coto de caza, decía Alberto. Él me confesó, al ver a Consuelo, que era la mujer más hermosa del mundo. Quise imaginar a la mujer más hermosa del mundo. Consuelo era rubia y baja, cuando respiraba dejaba ir y venir sus grandes tetas como si estuviera a punto de un colapso. Su cara se dibujaba impecable, ojos grises y tristes, un poema intenso, los labios protuberantes y demarcados. Me la imaginaba en una vendimia en el mediodía italiano. Cada quien podía tener una idea de la mujer más linda del mundo y ésta no estaba mal. Le sonreí y me acerqué a ella; siempre he sentido curiosidad por las mujeres que les gustan a mis amigos, por eso comenzó el asedio, la puja; hubo un momento en el que Alberto y yo nos dejamos de hablar, apenas decíamos algo para señalar las miserias del trabajo del otro.

—Te falta mano izquierda en ese texto —me dijo al comentar un guión que llevaba a confrontar en el seminario.

Respondí que la tenía ocupada. Si hubiésemos sido más jóvenes habríamos arreglado ese comentario a golpes.

Me apliqué a trabajar la imagen en el día a día junto a Consuelo, me hacía meloso y profuso, la abordaba cuando corregía un texto en clase y le respiraba cerca de la nuca. Hay que atrapar el olor y despedir feromonas; es una vieja técnica normanda. De eso se trata todo. Calixto nos invitaba a tomar cerveza en un antro de los alrededores, nos reuníamos y nos ensordecíamos con charadas irrepetibles al día siguiente.

Le robé el primer beso a Consuelo mientras la acompañaba hasta su carro.

Salíamos de una de esas tertulias:

—Te das cuenta de que no valen la pena cuando deseas estar a solas con alguien —le soplé al oído.

Tenía los labios dulces, la abracé y la respiré dos o tres veces. La besé de nuevo. Alberto nos había seguido. Nos miraba desde el toldo del local. Consuelo sonrió y me dijo algo, no puedo recordar con exactitud qué me dijo, fue *dopo* o después o más tarde, mañana. Fatal.

Al día siguiente corrieron una película de Scorsese a manera de ejercicio. Recuerdo que volteé justo en el momento en que Jim Morrison cantaba: *The end: I´ll never look in to your eyes again.* Me estremecí. Vi sus ojos, era Margarita, alta y espigada; iba de negro, realzaba su palidez, roja sólo en los pómulos y en los labios. Mi primer impulso fue querer tocar la piel de su cara; era un durazno blanco. Esta vez fue Calixto el que me dijo:

—Es la mujer más hermosa del mundo.

Tenía razón, pero no se la di. Le dije que era una mujer hermosa, ni más ni menos. Remonté el río y vi en los espejos de agua o en el denso pantano un durazno blanco y rosado que flotaba por inercia hacia el corazón de las tinieblas, *Ride the highway west, baby*. Comprendí que debía decirle adiós a Consuelo.

Había engripado de amor y estornudaba torpezas. Cómo abordaría a esta mujer y a su risa de luz lunar, cómo lanzaría la zancadilla a los inoportunos que la miraban con la estupidez propia de quienes no saben qué hacer con su mirada. Terminó la película y nos pusimos a trabajar para señalar los puntos argumentales en el guión literario. Estaba convencido, debía ser el último en invitarla a ser parte del grupo y el primero en hacerle saber que la perseguiría hasta los bordes de un mundo hostil y la atraería junto a mi pecho, contra mi piel, bajo mi respiración de espadas en movimiento. A pesar de las aspas de los helicópteros y de la cabalgata de las valkirias. Por eso intercambiamos una sola mirada hasta el fin. La de ella negra y brillante como sus ojos, la mía hambrienta y sin consuelo.

Consuelo esperó a que la buscara otra vez sin comprometer su orgullo. Los días pasaron y me olvidé de ella. Iba a las clases del seminario y me sentaba aparte. Nunca más fui a tomar cerveza con los compañeros del grupo. Ella arriesgó el decoro y me preguntó si la iba a dejar vestida a las puertas de la fiesta. Le señalé que debíamos protegernos de las fiestas, no son más que tragedias. Era mejor saber parar a tiempo. Que recordara que existían postergaciones salvadoras, *dopo* o *domani*, ¿no lo había dicho? Fue muy perceptiva entonces. Achicó los ojos, dos brasas me cruzaron el cuello, sentí un nudo feroz en la garganta; al final dijo:

—Rubén ¿tú no serás marico?

Bien por ella, se le ocurrió una frase célebre, algo nunca dicho por una mujer despechada. Le di la espalda, antes le rogué que me disculpara, que temía enamorarme; no quería compromisos insanos.

—Ya verás cómo nos salvábamos de una enemistad irreversible.

Calixto fue audaz. Invitó a Margarita a salir al cine, a cenar, a bailar. A leer guiones y a tomar vino rojo en un bodegón. Sabía que era incapaz de besarla si ella no lo abordaba antes. Yo arriesgaba que lo hiciera. Era parte del juego, quise creer. Ella debería ir lejos con el más osado sin olvidar que desde un ángulo invisible yo la miraba con todo el peso del deseo. Nunca arriesgué demasiado. Alberto buscó la manera de llevar a Consuelo al cine o a comer helados. Mis amigos eran anacrónicos. No trabajaban el primer beso en silencio, no sabían desplegar las cartilaginosas alas de la voluptuosidad. Nadie puede pasarse un mes en salidas inútiles, en intentos tímidos e ir tomados de la mano por allí, sin jalar hacia el pecho y sujetar con la boca a la boca amada.

El tango prosaico de la conquista amorosa se baila desde la primera salida. El ridículo exquisito de la ansiedad debe salir fuera de cauce una vez abierto un capítulo amoroso.

Estaba alegre por Alberto y Consuelo, nos hablamos de nuevo y comimos pizza juntos, celebramos con cerveza el cierre del guión de ambos, habían trabajado mucho, horas en eso, habían terminado el trabajo de fin de seminario, lo hicieron como si estuvieran cursando de nuevo los primeros años en la universidad. Era ineludible que se casaran.

Se acababa el curso. No podía dejar pasar el momento. Una tarde estaba en la terraza del café donde nos reuníamos antes de entrar a las sesiones. Margarita mostraba la luz de luna en su boca de líneas bálticas y su mirada brillaba. No brillaba como brilla cualquier mirada; era la estrella, el punto luminoso sobre un cristal, recuerdo que achicó los ojos y pude entrever un esplendor intenso y diminuto. Estaba solo con ella, junto a ella, era el momento de desplegar mis alas y cubrirla con un vaho de absenta. Era la hora crepuscular, el cielo se desdibujaba en naranjas intensos y azules oscuros; sentí la enfermedad avanzar en la sombra y una fuerza súbita me impelió a buscar sus manos. Las tomé entre las mías. De nuevo en sus ojos los míos, supe que me faltaba el aire necesario y me lancé al abismo; la invité a caminar en la incipiente noche bajo las acacias de la avenida. La luz amarilla de los autos nos postergaba en los muros grafitados, le pasé el brazo por la cintura, la acerqué a mí e intenté besarla. Ella se resistió y dejó caer su cabeza sobre mi hombro. Pude oler su pelo. Olía a noche sin retorno, a hierba húmeda, a espliego. Qué tonto se puede ser entonces. Me detuve y la enfrenté con mi pasión; miré sus ojos, hubiera querido besarla con crueldad, buscar con mis manos su cuello, bajar hacia sus tetas, lanzarme junto a su cuerpo contra un muro y apretarme a ella, encontrar sus muslos, el centro musgoso de su existencia, la mojada razón de la mía. Pero me quedé fijo, atrapado por su mirada. En ese momento apareció Calixto caminando a contramano por la acera; debí besarla. No lo hice. La fui dejando al otro lado, la fui dejando como si cayera y me mirara. Ven, pudo haberme dicho, ven, pudo haber gritado. Qué escondía esa mirada. *Ride the snake, to the lake.* Sentí miedo y decidí no verme reflejado en sus ojos. Dije lo de siempre. Es malo enamorarse. Mirar desde un andén a otro no es lo mismo que cruzarlo. Si lo cruzo me arrolla el tren o su mirada, pensé. Entonces, supe que había perdido a Consuelo, a Laura, a Doménica, al tren, a la mirada, a ella. La serpiente y el veneno, perdí desde siempre en una sola mano.

Margarita era coto prohibido, sus espadas flamígeras cerraban el huerto. Le temí. Sabía danzar con cimitarras y puñales. Supe que rompería mi pecho. Por eso imaginé a Consuelo tomando helados con Alberto, humedecía sus labios dulces en el ron con pasas. Era inofensiva. Calixto vino desde el otro lado de la avenida, me ignoró, le sonrió a Margarita mientras abría sus brazos. Se los pasó por los hombros, la atrajo hacia sí, me rezagué unos pasos y lo escuché decir que yo era un soltero empedernido.

—Aun casado, el cabrón será lo que es —dijo.

Me sentí liberado por el gran Calixto. Los libertadores son inoportunos. Esa noche me emborraché hasta perder la conciencia.

Apuré el trago. Pensé que era hora de irme. Hacía calor y Margarita se preparó otro ron. Esperaba una respuesta. Siempre uno espera una respuesta a la vuelta de los años, cuando los amigos se hacen habituales. Desde los tiempos del seminario evité retornar a sus ojos. Intercambiamos visiones, nunca miradas. No sé si brillan como antes, ahora que va por su tercer trago, salen las serpientes numinosas a buscar lagos prohibidos. La gente se desinhibe con el alcohol. El desprecio o el afecto afloran, o viene un silencio envilecido. Calixto se para de la silla y busca en la nevera un trozo de queso uruguayo. Estamos mareados por la noche, es cierto, mi visita siempre ha sido impertinente, tanto como lo fue el advenimiento de Calixto aquella tarde en que se apareció por la avenida con un As de corazones en la mano. Un nudo que se ha mantenido en el tiempo. Nadie se ha atrevido a cortarlo. El me pregunta de nuevo por Consuelo, me encojo de hombros, cosas que pasan.

—Yo no me he enamorado nunca, tú lo sabes —le digo.

Levanto los ojos, miro un punto crispado y diminuto que destella en la mirada de Margarita. Comprendo que un tren se puede perder dos veces. Que las segundas oportunidades no son la muletilla de una telenovela. Son otra posibilidad. El derecho a reincidir. La amargura del licor se me hace buche, siento que he pisado en falso y caigo sobre los rieles. No sé si Calixto me dijo cobarde. En todo caso hice un gesto vago y no respondí. Pensé que debía dejarlos solos de una vez y hasta la otra. Cada quien tiene su lectura de la vida. Me incorporé y me fui. Bajé del departamento a la calle; el país estaba revuelto, la ciudad bullía, la gente gritaba consignas extrañas, un ensordecedor golpe de cacerolas me dejó en silencio. Así deseaba estar por siempre, ajeno a todos, incluso a mis lágrimas.

Itaca

"Me dicen el matador me están buscando"

El Matador

Fabulosos Cadillacs

Y me dijo, luego de cruzar las piernas: Estoy confundida.

—¿Qué significará estar confundida para Antonieta? —le pregunté a Jaime, mientras me servía una cerveza. Él se encogió de hombros y no le dio importancia a la pregunta, sólo respondió que significaba eso. Estar confundida.

Me lo imaginé en medio de una bruma.

—Estar confundida es que se va. —agregó—. Las mujeres dicen adiós de esa manera.

Pero no se iba a transitar un camino en solitario; no tomaba su cartera, arreglaba su cabello y se marchaba al departamento de una amiga. Ella exploraba nuevas situaciones, la vida no era yo, no podía continuar aprehendiendo la vida de esa manera, necesitaba su espacio.

Jaime me contó que su mujer le había comenzado a recitar la historia del espacio y de la necesidad de vivir con mayor autonomía, le lloraba a diario, una escena tras otra.

—Me hizo sentir realmente como un gran carajo.

La había encontrado en la cama, con las piernas plegadas sobre su pecho, abiertas. Entre ellas, estaban las nalgas pálidas de un nadador que golpeaban sus caderas a ritmo sostenido, mientras la mujer sentía todas las explosiones de su confuso universo.

Ya era hora de partir, terminamos las cervezas y nos dirigimos a la puerta de salida para tomar nuestro vuelo. En poco tiempo llegaríamos a casa. No podía dejar de sentir el sobrecogimiento de quienes saben que vuelven a cumplir su destino. Traté de imaginar a Jaime con un brazo en alto en el marco de la puerta del cuarto, su mirada sin contradicciones, plena de la única realidad, y convencido de que debía hacer algo, toser, aclararse la garganta, buscar su revólver y partirle el culo a los dos, dejarlos fijos en el centro de la cama, listos para una foto de última página. Su mujer llegó a verlo de espaldas, camino a la calle. ¡Espera, no es lo que tú crees!

—Sí, ya sé. Sólo estás confundida —dijo mientras tomaba el saco del mueble y salía del departamento dando un portazo. Corrió escaleras abajo, daba vueltas sobre un eje, pensaba si en verdad ella le había dicho semejante estupidez.

La vida no era nada original.

El avión despegó y mis músculos se fueron tensando uno a uno hasta brindar a mi rostro el rigor de quien espera un desenlace súbito. No sentía miedo, sólo me ponía alerta en el momento del despegue. Pensé en lo fácil que es matar a un hombre y eso me relajó.

Todo estuvo bien preparado, habíamos hecho un buen trabajo. Apenas llegamos al hotel, recibimos la llamada, fuimos al lugar donde nos entregaron las armas, una escopeta cañón recortado y una Magnum 45. Me gustaba disparar con una Magnum. En una oportunidad les demostré a unos amigos que era un arma que llenaba las expectativas más allá de los crudos cuadros de una película: corríamos un auto por el descampado, precisé a un burro que montaba a la burra. ¡Frena! –Abrí la puerta y apunté. Mis amigos vieron cómo la parte de arriba del animal se separaba de la de abajo, la bestia quedó limpiamente dividida en dos como si le hubiesen pasado una sierra. La burra trataba de correr, con el nalgatorio del macho sobre sus ancas. Siempre uso Magnum para mis diligencias.

Nuestro objetivo dejaría a su esposa en el trabajo a las ocho de la mañana, teníamos la matrícula del auto y sabíamos que se había dejado crecer el bigote, lo usaba espeso, tipo manubrio. Cenamos liviano, tomamos un par de whiskies en la barra del hotel, Jaime quería que llamáramos a dos mujeres, necesitaba divertirse... yo le dije que prefería terminar de arreglar lo del auto y dormir a pierna suelta, era una forma de mantener el pulso sereno.

Apenas alcanzamos velocidad de crucero, abrieron el bar del avión. Le pedí a la aeromoza una ginebra con naranja. Tenía las nalgas redondas y buenas tetas; cómo me gustaban las aeromozas. Antonieta parecía una aeromoza. Cuando recogía su pelo con una cinta de seda negra y dejaba el cuello largo descubierto a los lados, daba la impresión de estar calma, de dominar siempre la situación, eso transmitía; llevaba impecables trajes de *tailleur*, las camisas eran de seda, sus bufandas discretas y los chalecos variados; tenía sentido de la elegancia, me hacía tomar mis tragos entre orgullosos suspiros. Nuestra relación sólo había conocido el sobresalto del deseo, pero transcurríamos tranquilos, ella entre lecturas góticas y yo calmando los desafueros de un país que sobrevivía a la violencia.

Me levanté primero que Jaime, corrí las cortinas y abrí la maleta donde estaban las armas, corté los veinte dedos de los guantes quirúrgicos, me probé los míos, me los calcé como un condón y constaté cómo las huellas dactilares desaparecían tras el látex; estaba cómodo. Le di con el pie a mi compañero, quien automáticamente fue al baño, se echó agua en la cara y dispuso todo para acicalarse; nos apuramos, no llevábamos equipaje, siempre íbamos con un impecable Armani negro, el resto de los utensilios lo echamos en una bolsa que botamos en una avenida. El Lincoln entrompó a la calle donde lo aguardábamos puntuales. Jaime apretaba la escopeta recortada debajo de su saco como si nada, yo encendí un cigarrillo, el sol magenta del desierto se reflejaba en mis lentes. El auto se detuvo, lancé el cigarrillo a mis pies, le di una pisada y caminamos decididos y rápidos.

—¿Cómo te fue con las jevas anoche? —alcancé a preguntar.

Jaime, con la culata de la escopeta, rompió el vidrio posterior del Lincoln. El hombre de bigotes volteó, no sé qué pasó con su cara, disparamos juntos, yo sólo vi fragmentos de cristales.

—Desde que me dejó mi mujer no tiraba —se rió mi amigo mientras encendía el auto.

Buscamos la avenida, cambiamos de carro, y nos fuimos al aeropuerto.

El aterrizaje fue sereno. No tuvimos problemas con el chequeo, ya podíamos estar seguros; le invité un trago a Jaime, siempre me ha gustado beber en las barras de los aeropuertos, estar frente a un ventanal y ver partir y llegar aviones, es como vivir en tránsito. El desarraigo me gratifica. Ya no le podía contar a Jaime sobre la confusión de Antonieta, había sido el tema de este viaje, en realidad lo molestaba, lo aburría. Pidió dos ginebras con naranja y me enfrentó como si se dispusiera a interrogarme, esperaba que me dijera qué carajo iba a hacer con mi vida si mi mujer se confundía para siempre; pero sonrió y levantó el vaso, brindamos por nosotros, presentíamos que era el último trabajo que realizaríamos juntos, esta nostalgia es recurrente, pero terminamos arreglando el mundo en cualquier otro lugar.

Si se confundía para siempre significaba que estaría muerta, como un fantasma, vagaría por la vida, en un marasmo, pensé que no valía la pena perderla, perderla era perderme y entonces supe que componía la letra de un bolero. Los boleros son fatales.

—Voy a volver —me dijo Jaime.

—¿Volver a tu casa?

Tomó el trago hasta el fondo.

—No tengo adónde ir. Lo más probable es que esté tranquila frente al televisor, que escuche música y que haya llorado mucho. Sé que me extraña. Nunca tuvo a un nadador entre sus piernas.

Me dio una palmada en la espalda y se despidió. Jaime se alejaba rítmicamente, me di cuenta que se estaba quedando calvo, le clareaba la coronilla.

Ya era de noche y todas las luces de la ciudad encandilaban, yo llegaba a casa, tenía la sensación de estar a punto de saltar desde las alturas de un risco; la música salía de los autos, los muchachos de la cuadra rodeaban sus rústicos y destapaban latas de cerveza y algunos ya se disparaban sus primeras líneas de cocaína. A mi lado pasaron tres púberes, de vientre plano y desnudo, corrían como gacelas, batían sus cabelleras castañas y negras, perfumadas; reían a carcajadas. La vida puede ser hermosa a esa edad, intensa y carente de sueños.

Tras cada viaje envejecía un poco, mis ojos perdían brillo y adquiría más conciencia de la muerte, por eso no comprendía a Antonieta. Abrí la puerta, las luces estaban apagadas, en el cuarto se escuchaban "Las Partitas" de Bach interpretadas con violines. La noche se extrañaba cálida en un perfume cítrico. Se me hizo insoportable el silencio, mi tránsito hacia la habitación fue eterno, miré cómo brillaba mi colección de dagas en la vitrina del salón y sentí un dolor en la frente.

Gato y sereno asomé la cabeza y vi extendidas las piernas de mi mujer: desnudas, doradas y hermosas. Tomé sus pies entre mis manos y los besé. Entonces noté la mancha de sangre en el puño de mi camisa.

Israel Centeno

El círculo del péndulo luminoso

Germand sintió un reloj de arena volcarse dentro de su pecho, soplaba el mistral, su caja torácica se crispaba. Él y el viento cónsonos, persistentes, ásperos. Los cristales hacían añicos la luminosidad mediterránea, fragmentos de luz sucia, ojos glaucos cubiertos por el ala de un murciélago.

Germand Verne era un hombre de negocios. Le gustaba precisar que era un empresario en el ramo del turismo. Tenía un hotel, varias pensiones, un pequeño casino y una casa de veraneo que ha servido como locación de exitosas películas pornográficas. Reconoce en su genealogía a una estirpe de piratas y aventureros corsos que incidieron anónimos y modestos en la historia del Mediterráneo.

Su padre, el viejo August Verne, fue un sobreviviente. En los tiempos de la ocupación alemana a Francia, Marsella era un hervidero de espías, de gente que buscaba la manera de escapar, un mar saturado de peces llenos de carne. La pesca era segura y provechosa, se trabajaba con modestos e improvisados anzuelos, redes descosidas y hasta con las manos. Por ese entonces la fortuna de la familia Verne se consolidó. August se encargaba de que no faltara *canard* o *poisson fumé* en la mesa de quien lo pudiera pagar. Era un ecléctico. Para un hombre práctico en momentos de desesperación y de guerra, el futuro de su familia, si atinaba en las decisiones, podía verse entre puntos, como una pintura de Rembrandt. Fue natural que forjara pasaportes y salvoconductos e invirtiera en el negocio de las armas. No era un filántropo ni un patriota de la resistencia. Si hubiese necesidad de calificarlo, el nombre de August *el sobreviviente* le calzaría como la zapatilla a la Cenicienta.

Manejaba la economía del sobreviviente, una ecuación simple, "para salvarme, algunos deben huir y otros deben morir". Es la mecánica intrínseca y sencilla de la vida.

No estuvo frente a un dilema en casos como el de *monsieur* Cécil. Una mañana estival le dijo que la libertad lo esperaba en un muelle clandestino, la Gestapo se encargaría de someterlo al insensible molinete de la realidad. Nunca llegaría al norte de África, tampoco recomenzaría la vida en América. Era un asunto de economía, los fondos de Cécil estaban exangües, el mundo sólo le podía brindar oxígeno en un campo de concentración. Ponderar éstas y muchas otras circunstancias convertía al viejo August en un ángel del creador.

Germand sentía la ruda caricia del mistral y el otoño llegaba a su vida, había incrementado la fortuna familiar en los tiempos de posguerra. Miraba la prosperidad con una fría expresión de sus ojos glaucos, esa mirada lo hizo confrontar a la verdad, desdibujada pero cierta, como debía ser.

–*C'est fini*, el futuro está en Suramérica –dijo. Más allá de la nata que cubría sus ojos, unos figurines de papel graznaban en torno a las embarcaciones de pesca. Eran las gaviotas.

Eligió una ciudad al azar, recordó a su estirpe, viajeros, piratas, comerciantes, buscadores de oro.

El Ávila surgía de la luz. Así vio al cerro, pincelado. Desde la nada se enseñoreaba como una totalidad de verdes pinares, espigas púrpuras y mates insistentes en el tronco y en las hojas de los eucaliptos. Llegó a Caracas con las emociones encontradas del descubridor y se internó en su caos con una cuenta abierta en euros. Actuaba por instinto, pensaba en la nueva Marsella resguardada por una fortaleza natural, el cerro. Compró un apartamento en una zona de clase media. Salía cada mañana a subir por los caminos del Ávila, saludaba a los excursionistas con entusiasta amabilidad.

–¿Todo bien?

Respiraba con fuerza y ascendía por La Julia a un lugar llamado El Tanque, allí se quedaba escuchando el rumor de una quebrada de agua y oía a la ciudad, tenue y soberbia. Viva, subversiva y cambiante.

No perdió tiempo y se abocó a rediseñar su inmueble. No tendría más de cien metros, uniformes y descoloridos. Disfrutaba del balcón, quería poner romanillas coloniales, persianas de madera desde donde pudiera contemplar detrás de sus telarañas a una de las avenidas de la urbanización. Era una calle como una calle cualquiera de Marsella, árboles frondosos –apamates–, un camión de verdulero, señoras coquetas y cargadas en carnes regateaban al vendedor, ejecutaban una danza amorosa y lograban sacar buenos precios en los calabacines y en las berenjenas. Los vagos, eventuales asistentes del marchante, ofrecían sus servicios, podían llevar bolsas repletas de tubérculos, frutas o ramas, reparar tuberías o reventarle el culo a la mujer del turco de la esquina.

No perdió tiempo y puso manos a la obra, debía reformar todo aquello antes de la llegada de la primavera a Francia. Hablaba un español aprendido en Ibiza.

–Buen día vecina, ¿todo bien? *Oh, la lá*. Hoy llueve y mañana no, Venezuela es una lotería, un desastre, vecina, un absoluto desastre. Ça *va? Ça va bien?*

Trabajó en los planos de remodelación y decidió tumbar paredes, acabar con habitaciones y baños y hacer de su hogar caraqueño un gran salón, un buen sitio para cocinar. Puso persianas de madera en la terraza y se convirtió en el *voyeur* de la avenida de los apamates: Allá va la turca, allá va, con el turquito atrás.

–*Mon dieu* –reía–. Siento un vigoroso renacimiento espiritual –se llevaba las manos a los testículos y hacía un gesto en homenaje a la fertilidad.

Pulió el mármol del piso, hizo una barra en la cocina, creó una bodega para sus vinos. En las noches contemplaba a los vagos juntarse en la esquina, destapaban latas de cerveza, miraban al cielo más allá de las copas de los árboles y olían cocaína como si estuvieran poniendo alcanfor en sus narices. Germand tarareaba canciones de Gilbert Bécaud, su cara roja y cuadrada era la de un hombre tocado por una súbita espiritualidad. Cada mañana una mueca acompañaba sus saludos. Era una expresión de la nueva era, una afirmación de Deepak Chopra. Saludaba a las plantas en sus porrones, a la *ancienne madame* que despintaba sus recuerdos en la sala de las áreas comunes del edificio, al simpático y salvaje vendedor de periódicos.

Se compró un Renault e hizo contactos con grupos esotéricos. Creía en el péndulo. Los maestros desencarnados se comunicaban en coordenadas y transmitían sus grandes enseñanzas al mundo de las ilusiones. ¿Era un místico Germand Verne? Todos los piratas creen en los infiernos, en las almas atormentadas, sienten un horror reverencial por el más allá y buscan aún entre las llamaradas, mapas de tesoros ocultos, la salvación o una tarde de Rembrandt en el Sena.

Lumiére le había recomendado El Círculo del Péndulo Luminoso.

–Allí encontrarás tu destino, *mon ami* –le dijo una tarde de mistral en Marsella. Al darle la espalda dejó escapar una sonrisa hipeante.

No se equivocó Lumiére. Allí lo esperaba un coronel del ejército y Jacinta. Ambos muy interesados en Marsella.

–Siempre ha sido un refugio de aventureros –comentó el coronel.

–Es un mito, *cher ami*.

–Es una ciudad que sabe hacer negocios.

–*Oh la lá, mon ami*, ha sido su razón de ser.

Jacinta acompañaba al oficial del ejército. Era esmirriada. Era elegante. Ella le sostuvo la mirada; luego de sonreírle le preguntó:

–¿Usted cree en la reencarnación.

–Sin duda, amiguita.

–¿Cree usted que nuestro presidente es la reencarnación de alguien en especial?

–No podría asegurarlo un cien por ciento, pero me arriesgaría a creer que vuestro Libertador ha vuelto –Se escuchó un murmullo general en el salón de sesiones–, o nuestro Napoleón ha reencarnado por estos lados. –Esta acotación la hizo en voz baja, pocos la escucharon.

–¿Sabe? –Prorrumpió el oficial, pasando un brazo por el hombro de su amigo marsellés– usted me gusta, es claro y tiene el don mediúmnico.

Germand mostró sus dientes amarillos y estiró el mentón.

–En tiempos de revolución social usted no puede eximirse de una relación étnica.

Verne volvió a mostrar su dentadura de dueño de plantaciones de tabaco.

–¿Todo bien?

Alzaron las copas y brindaron por Víctor Hugo, un gran espiritista. Un gran luchador social.

Jacinta era perfecta. No tenía nada en común con las mujeres indias de Los Andes, nunca bajaba la cabeza ni eludía una mirada, orgullosa y segura de sí misma, conocía los misterios del conde de Saint Germain, la llama violeta, los secretos telúricos de María Lionza y las energías intrínsecas de los procesos revolucionarios.

No se convirtió en el amor de Germand. Él no creía en el amor. Era su complemento, su afín. Los afines se buscan, se encuentran y se defienden. La afinidad se remontaba a la estirpe de Jacinta, era de la etnia wayúu, aventureros y contrabandistas ¿algo en común? Lo suficiente.

Había que tomar decisiones. Las decisiones debían ser oportunas y rápidas. Se aproximaba la primavera en Europa. Le restaba casarse. Entonces retornaría a Marsella con una visión distinta sobre el destino de sus negocios.

La ceremonia fue sobria. Pocos amigos, los del Círculo del Péndulo Luminoso, tres coroneles de las fuerzas armadas, las amantes de los coroneles y un hombre misterioso de barba cana. El matrimonio se consumó una tarde calurosa, de poca brisa, húmeda como todas las tardes calurosas de Caracas. Comenzaba la temporada de tormentas tropicales. Fuera, los apamates resistían el peso del agua, las gotas caían una tras otra como el asalto de una brigada de paracaidistas. El jefe civil fue al salón –Germand recordó a August y dijo: mira lo lejos que hemos llegado, viejo, estamos en Caracas. Descorcharon champaña y botellas de vino. Los oficiales se habían hecho traer varias cajas de escocés. Los militares, a través de sus campañas, aprenden verdades incuestionables.

El vino amariquea –largaban carcajadas mientras movían con el dedo índice el hielo de sus *whiskies*

II

Bastian Savagne era la mano derecha de Germand Verne. Un hombre endurecido por la vida en los bajos fondos. No cabía duda, era el hombre para Caracas. Más que un amigo, una herencia. El viejo Antoine Savagne fue el durmiente donde descansaba la supervivencia de August. En determinado tipo de negocios no basta una vida para ser un hombre de confianza.

—Hay nobleza en esto, somos una estirpe de piratas y traficantes.

Germand era un hombre de pocas convicciones, pero ésta era una de ellas. El marfil, la seda, las especias, la heroína, el oro y las mujeres que compraban los burdeles de Europa, entraban por Marsella. Un día llegó la peste y la peste no acabó con la tradición milenaria. ¿Y cómo no iba a llegar la peste? Era un exudante, a ella no sobrevivieron los aferrados al frívolo deseo de sobrevivir la muerte. No fueron los hombres y sus vidas miserables los que sobrevivieron a la peste, fue Marsella, la inmortal. De esta madera estaba hecho Savagne, quizá por ello se negaba a extraviarse en un lugar remoto del trópico, moriría, su nexo con la vida eran las gaviotas rasando al mar picado por el mistral, o el falcón sobrevolando al Tramontano, los empedrados y los bares cerca del muelle.

—No, no, no —repetía. Movía la cabeza de un lado a otro. —*Tout va bien ici*, no veo motivos para moverme.

—No te irás de Marsella, Bastian, descubrirás que Marsella está en todo lugar, estarás al frente de nuestros negocios en Caracas. Odio decir cuánto te necesito, Cocu.

—¿Qué es Caracas?

—La nueva Jerusalén. No te pongas difícil. Hice una conexión, ampliaremos nuestros negocios. *Finalement*, Marsella se mueve hacia donde se mueve un marsellés.

Bastian le pintó una paloma con un gesto, le pidió que no le dijera mierdas, no se iría a un lugar insano para ser devorado por la fiebre amarilla y los mosquitos.

–*Je t'en prie* ¡esa gente bebe *whisky* con banano!

–Bastian ¿Recuerdas a Papillón?

–¿A Henriette? ¿Aquella vieja mentirosa y maricona?

Germand le contó a su amigo que todo estaba listo, había hablado con los magrebíes.

–Sobre ruedas, *camarade*, así marchan las cosas, no vengas a echar arena en el camino. Sólo confío en ti. Se trata sólo de pasar los inviernos en Caracas.

–¿Y el mistral? –dijo– no, no, no, *oublie ça*.

III

Jacinta se miraba en la media luna del espejo. Se había contemplado en los espejos de agua de muchos ríos, el cielo estaba abajo lleno de ondas y luces. El piso de Germand Verne era amplio y amable, el de Caracas era sólo un remedo. Llevaba la vida holgazana de una novela decimonónica, sólo le faltaba un amante. Visitaba a los miembros del Círculo del Péndulo Luminoso en Marsella, recibía visitas, tomaban el vermouth y trabajaba la llama violeta. Se convirtió en promotora de los libros de Conny Méndez y como no tenía mala voz, en las veladas nocturnas se hacía acompañar de un pianista y dejaba fluir en tono agudo:

"... *arrullamos a los niños*
con el Himno Nacional."

Sus invitados prorrumpían en risas, algunas irónicas, otras

complacidas. Un sentimiento de la gran patria latinoamericana. Asentían.

—*C'est la voix! Bravo, bravo Jacinta, ma petite wayúu!*

Al final, luego de varios *pernods*, el orgullo nacional se hacía francés, todos, incluida Jacinta, cerraban la fiesta con La Marsellesa.

La anfitriona se levantaba tarde, abría las hojas de los ventanales y tomaba un baño de espuma "*Allons enfants de la patrie...*"

(¡Bah. Benito! ¡Benito, trae champaña! debo enjuagar el aliento de Pepe Le Pew, es todo un sacrificio un beso francés con este francés.)Sumergida en la tina, miraba tras los ventanales a las gaviotas, les eran familiares, pero sólo eso, eran familia de las gaviotas que en realidad conocía, los recortes en la luminosidad del Caribe, blanco sobre blanco, una gaviota. Por más que sus nuevos amigos se empeñasen en convencerla, Marsella no era luminosa, ni en verano. Con ese cuento a otros, había sol, luz, eso es distinto, pero era una luz degradada, no faltaba más, hacia el gris. Si Reverón hubiese tenido su Castillete en esta ciudad, no habría hecho brotar de la luz que ciega una forma, pensó, y mientras bajaba la segunda copa de champaña, insistía en que las gaviotas en Marsella son figuras sobre un plomo engañador, plomo blanquecino, pero plomo al fin. Los almendros se mecen en verano, un viento cálido enloquece a los citadinos, el malecón es gris más acá del blanco posible en el Mediterráneo. Detalles, así pensaba. Marsella se parece a la muerte, luz mortecina de tísico, tornados de basura y sal con sabor a bronce. El viento soplaba sobre piedras ennegrecidas por la sangre de otros siglos.

Germand irrumpió en su baño; ella cubierta por las espumas y medio borracha le preguntó:

–Ça *va bien?*

–*Ah, merde*! –Le largó una sonora cachetada.

–¡Pepe Le Pew! –Se echó agua en la cara para que no le corrieran las lágrimas–.

Al día siguiente Jacinta se marchaba a París. Calzaba zapatos sin tacón, la cubría un vestido oscuro, era verano, y un par de gafas negras la dejaban sin mirada. Inescrutable y misteriosa. No lloró, ni hizo una escena. No pidió explicación. Ella también tenía sus negocios, un mandato.

IV

Bastian Savagne se definía como riguroso y disciplinado, virtud que retribuye rutinas. Temprano en las mañanas se reunía con las bancas de apuestas, luego despachaba mercancía hacia Mónaco; cuando el sol lanzaba su mirada oblicua sobre la ciudad, iba a un set de filmación, cerca del puerto, como un traficante de esclavos de la antigua Louisiana, tocaba, palmeaba, miraba detrás de las orejas, dentro de las bocas, entre las piernas a las mujeres que llegaban de Europa Oriental. Era el secreto del éxito, ser fieles a las expectativas étnicas del mercado. Luego revisaba contratos, años de servicio, incondicionalidad, las hacía firmar y les retenía el pasaporte. Con un beso en ambas mejillas les daba la bienvenida a la nueva vida.

Iba al hotel y abría una ronda de negocios con inversionistas americanos, traficantes persas y magrebíes. En la tarde oscura, se hacía acompañar por un comisario de la policía y tomaban un *vermouth*.

Nunca dejaba por fuera a Germand, siempre coincidían, una, dos veces.

Bastian Savagne y Germand Verne movilizaban el efectivo del día a día, ambos tenían acceso a la caja chica porque los pagos debían hacerse a tiempo, eran quisquillosos, cuidaban de su reputación y de sus vidas.

Llega el día en que toda persona desaparece, algunos son heridos por un infarto o un derrame cerebral, otros van por la vía lenta y se apagan a plazos, otros son arrollados, abaleados o apuñalados en la calle de la amargura. Nada de esto le sucedió a Bastian Sevagne el viernes en que le dijo adiós a Marsella. Como todos los viernes a la hora crepuscular, se dirigía al café del muelle, tenía una reunión con Gilgamesh. Bastian salía del hotel sin guardaespaldas ¿quién, siendo Savagne, necesitaba guardaespaldas? Hay un momento para todo, el mejor amigo de Germand, el hijo del socio de August, fue abordado por dos corsos y lanzado a la parte trasera de una Renoleta. Lo golpearon, lo despojaron del dinero y lo tiraron sobre una alcantarilla en los suburbios. Apenas se dio tiempo para metabolizar la paliza, tenía dos costillas rotas, se arrastró hasta una cabina telefónica e hizo un par de llamadas. No hay que hacer un esfuerzo para interpretar sus increpaciones. "Hay que encontrarlos y matarlos" diría; quizá. Germand repondría el dinero a los persas, respiró, sacó de su bolsillo un cigarro, lo encendió, por sus mejillas corrían lágrimas, una mala jornada, Germand no respondía, lo llamó a la casa del amigo y al celular, la maldita voz de la cosa, el sonido atonal de una contestadora. Gilgamesh esperaba en el café. Apagó el cigarro y lo devolvió al bolsillo. Llamó a Jean Villon, el asistente del socio, un bueno para nada, éste le dijo que Germand estaba en París. El corso maldijo su suerte, no era un hombre de frases, se negaba a pronunciar una frase: qué día ¿no?

Se comunicó con las bancas para conseguir efectivo, todas tenían el dinero colocado, tardarían hasta el día siguiente. Es un problema de liquidez, los persas entenderán. Jean Villon lo recogió en su auto y fueron al café.

—Unos hijos de puta me han asaltado, se llevaron su dinero —le escupió a Gilgamesh.

—Siento que te hayan quitado tu dinero —el persa encendía un cigarro— el nuestro como siempre ¿no?

—¿No entiendes?

—Sí, te han robado —alzó la mirada Gilgamesh, estaba sentado frente a un vaso de agua gaseada.

—Dame un día, *mon ami*, mis hombres están buscando a los desgraciados, no saldrán de Marsella, al menos no lo harán vivos —lanzó una tímida y solitaria carcajada.

—Pobre Bastian y sus problemas. ¡Claro que comprendemos! —dijo Gilgamesh— te esperamos hasta las doce, no puedo más, tú entiendes ¿no? Yo tengo mis problemas, tú tienes tus problemas, yo te ayudo un poquito —le dio una chupada a su cigarro— anda, ve, ve, tómalo con calma, yo espero. Hace una linda noche.

Oscurecía y tras las nubes, sobre las dársenas, se deslizaba una media luna.

El rostro de Savagne enrojeció. ¿Plazos a él?

—Tengo hasta que a mí me de la gana, Gilgamesh.

—Es un punto de vista.

—Mi punto de vista vale en esta ciudad —se llevó la mano debajo del saco. Los hombres de Gilgamesh se pusieron de pie. Villon sacó una Beretta y vació la cacerina.

—¿Qué has hecho, Cocu? —le mostró un cigarro apagado y a medio fumar— ¿ves? Le arrugó el habano en la nariz. Ambos corrieron, se montaron al auto. —Detente.

—No puedo, debemos salir de acá —Contestó Jean—.

Bastian haló el freno de mano, el auto dio un giro sobre el pavimento mojado por una lluvia fina y se detuvo, metió la mano debajo de su saco, tomó su revólver, le disparó en la cara Villon y de una patada lanzó el cuerpo fuera. Soltó el freno de mano y apretó el acelerador.

—Sí puedes.

La vida de un hombre de negocios da vuelcos inesperados.

Germand y Jacinta estaban en un hotel en Montmartre. La misma calle, el mismo hotel. Una canción. París se mostraba exultante, la cruzaban turistas de todas partes del mundo. Un día azul de primavera, intenso y cargado de polen. Los campos Eliseos y los jardines de Luxemburgo, el Sena, todo, una tarde alegre de Maupassant, un momento detenido de Rembrandt, el pedaleo fatigoso de Emile Zolá, la gente parecía andar sobre monociclos y lanzar globos de colores al cielo abierto. Jacinta le había dado cuerpo a su pelo, recibía sin anteojos la luz solar, exponía su cara redonda, su mirada oblicua, una sonrisa congelada. No estaba feliz, sólo estaba allí.

La pareja descorchaba una segunda botella de champaña en el momento en que apareció Savagne. Lo recibieron con los brazos abiertos y besos en ambas mejillas. Él no encajaba en aquel París bucólico, sudaba, se atropellaba al hablar. Germand movía la cabeza, sabio como el péndulo del círculo luminoso, a veces parecía reprochar, a veces buscar ideas; otras, lamentarse por la mala y buena suerte de su amigo. Todo tiene su razón de ser.

—Ni modo, Bastian. Jacinta hablará con su embajada. Te irás mientras se aclaren las cosas.

Veinticuatro horas más tarde, Bastian Savagne arribaba al aeropuerto Internacional Simón Bolívar, lo escoltaba un funcionario de la embajada y en la sala protocolar lo esperaba Gilda, su esposa.

V

Gilda, su esposa, la esposa de Bastian Savagne, era una mujer joven, su pelo negro, sus ojos negros, la piel blanca. Sus dientes perfectos, sonrisa ingenua, entregada y limpia. Una sonrisa virgen, solía decir su último amante. ¿Convertirse por obra y gracia de un juego diplomático en la esposa de un matón de Marsella desvirgaría su candidez? Nunca, podría afirmar su ex amante, poeta de café, hombre despreocupado, comprometido con los versos de servilletas y las sentencias lúcidas de los primeros *whiskies*. Un día, con el despecho por delante, esculpió el estigma. Cara virginal y alma de puta, ésa es Gilda.

Savagne no tuvo tiempo para cumplir sus deberes conyugales. La misma tarde de su llegada mantuvo una reunión con el Círculo del Péndulo Luminoso. Luego de mover un péndulo de diamante sobre el tablero e inspirarse en dimensiones "desconocidas" entregó al Coronel el inventario de armas cortas, de armas largas y de bazucas antiblindados de corto y largo alcance. A la mañana siguiente cruzaron el verde territorio sobre una avioneta bimotor. En medio de la selva lo esperaba otro miembro del Círculo del Péndulo Luminoso. Allí estaba el hombre de la barba cana; repetía las exclamaciones de Germand:

—¿Todo bien? ¿Todo bien?

Parco, ése era su estilo, Bastian hablaba muy poco el idioma, abrió un catálogo de armas. El hombre de la barba cana, el supremo sacerdote del Péndulo, le hizo saber que de inmediato haría depositar el dinero acordado en las islas francesas y se puso a trabajar frente una mesa improvisada, allí hizo movimientos rápidos sobre el teclado de una laptop como un pianista o un mal amante.

La noche de la selva tiene mucho de muerte, la bulla silencia y trasciende sobre el escándalo salvaje la soledad total y absoluta. Bastian fumaba un cigarro, bebió aguardiente blanco, deseaba aturdirse, sentía pánico, creyó estar cubierto en una boscosa sepultura. En su descenso a los infiernos lo acompañaban monos araguatos, notó que sus rugidos no se diferenciaban de los rugidos de un gran felino. Echaba mano a los recuerdos, los cafés de Marsella a las orillas del muelle, la dársena inmemorial, los restaurantes, las mujeres rollizas del puerto, una luz matizada, justa y necesaria en su precisa frialdad.

Fue ganado por un llanto mudo.

Regresó a Caracas, apenas dispuso del tiempo para notar que su mujer, Gilda, tenía grandes y generosas tetas, firmes como las de su primera novia. De inmediato fue trasladado a una oficina en una de esas aberrantes torres de concreto y cristal. Le salió al paso un hombre impecable, llevaba un traje de civil. Le ofreció asiento, le entregó la correspondencia electrónica, algunas cartas de Germand dirigidas a él. Debía ir a las islas francoparlantes y hacer las transferencias a sus bancos en Berlín. Lo llevaron a La Carlota en donde lo aguardaba una avioneta. Despegue apacible, vuelo turbulento, confrontaron al denso Caribe, necesitaba dormir un poco, pero las turbulencias eran verdaderos sismos, cada vez que atravesaban una formación cumular lo embargaba la sensación de que serían despedazados. Hizo las transacciones en Guadalupe. Un tipo que usaba guayabera amarilla y fumaba un enorme habano lo invitó a almorzar, le entregó dos pasaportes. Volvió al andén del aeropuerto, Bastian debió corroborar que el inventario de las armas se correspondía con las que embarcaban en un hidroavión.

—Van a entrar por el río —le dijo el hombre de la guayabera— y tú te vas en el primer vuelo a Panamá.

Así anduvo, era su muerte, el descenso al hades, entre cuencas y selvas, apenas hacía toques fugaces en Caracas.

En la ciudad buscaba a Gilda y Gilda no estaba. Gilda era su mujer. Se convertía en un imperativo abrazarla, encontrar consuelo en su seno. Dicen que el viaje es sinónimo de libertad; sin embargo era reo de un destino, de un edicto sobrenatural, de los dictámenes del Circulo del Péndulo Luminoso.

Apenas se duchaba. Maldormía, se afeitaba, arrancaba pedazos de su piel, se echaba encima una camisa de seda con estampas de palmeras tropicales y retomaba el itinerario que le señalaba desde lejos el buen Germand.

Antigua, Barbados, Trinidad, San Juan de las Galdonas, Miami, San Fernando de Atabapo, Barranquilla.

Cumplió años y recibió una postal electrónica de Jacinta. Le recordaba que el Caribe fue refugio de sus ancestros corsos. "Querido amigo, los místicos, luego de interpretar la danza oracular del Péndulo Luminoso, hablan de la nueva Jerusalén, Te aseguramos que te encuentras en la nueva Marsella. El viejo mundo es un museo en donde apenas sobrevive una mafia folclórica" Savagne pensó en Gilda. ¿Dónde estará Gilda? Pálida, de ojos negros, de grandes y hermosas tetas. Trató de recordar aquellos pezones dibujados detrás de la franela y sufrió un extraño mareo.

Bastian savagne decidió hacer una larga parada en Caracas. La ciudad estaba agitada. Inmersa en una huelga. El mareo lo acompañaba de día y de noche así como los grillos de la selva, todos los grillos amazónicos se le habían metido en los oídos y dormían su cara. Fue al departamento que había arreglado Germand, encendió la computadora, se conectó a Internet y bajó sus correos, el último lo ha debido llenar de esperanza: "*Mon ami*, hemos producido suficiente dinero como para cancelar el recuerdo."

Levantó sus brazos, se olió las axilas, olía mal. Fue al baño, se dio una larga ducha. Al salir continuaba oliendo a especies y a mandrágora, a cocido de coles, a hervido de granos, a huevos revueltos con romero y tintura de marihuana, olía sobre todo a comino. Dejaba abierta la puerta principal del departamento, buscaba aplacar el calor, atenuar la nostalgia. Pensaba en Gilda, temió por ella, había desaparecido. Tomó el teléfono y llamó al coronel, al amigo del Círculo del Péndulo Luminoso y lo inquirió con propiedad.

—¿Dónde *merde* está mi mujer?

Se había olvidado que sólo había visto a su mujer en un tiempo fragmentado, en una realidad molecular.

—La necesito —agregó.

—Podemos salir juntos, conozco burdeles de primera —respondió el místico oficial.

Sintió que su corazón se hinchaba, que su cabeza giraba hacia una súbita compulsividad, era la pasión bruta e intransigente.

—Usted no comprende, estoy perdido sin ella.

Pasaron los días y Gilda no apareció. Volvió a marcar el teléfono.

—Insisto, debo ver a mi mujer.

A los minutos recibió una llamada de su buen amigo Germand Verne. Intercambiaron duras palabras.

—Me quitaste Marsella. Ahora me quitas a Gilda.

—No seas *bête*.

—¿Dónde está Gilda? —comenzaba a girarle el mundo.

—¿Te has vuelto loco? Tienes que volver a Marsella, todo se ha olvidado. Gilda no es tu mujer.

—La necesito —gimió, era la primera vez que gemía en su vida.

—Deja de hablar mierda, es imposible que sientas necesidad por una desconocida.

—¿Ah Si? Escucha —el mareo se hizo dentro y fuera y comenzó a gritar. Al principio era un quejido, le dolía algo, luego rabia, reclamo, dolor. Al final nostalgia.

—Es mi mujer —fue la última frase que pronunciara en su vida.

—¡Por favor, Bastian! —Al otro lado permutaban gritos y la irrupción de metales y trastos, un cacerolazo.

Bastian Savagne lloraba de mareo y dolor, estaba atrapado bajo los cacharros de la cocina, fuera, los vecinos hacían sonar sus cacharros, había protesta en toda la ciudad, fuera, más allá de la terraza, sobre las copas de los apamates creyó ver a la Osa Menor.

—*Ale, Ale, ah, ah.*

Su madre le señalaba a la Osa Menor en un muelle de Marsella.

Su madre lo abrazó y se parecía tanto a Gilda.

Según pasan los años

"Habrá tiempo, habrá tiempo

de preparar una cara para encontrar las caras que encuentras..."

Thomas Stearn Elliot

La canción de amor de Alfred Prufrock

No se habla de amor sin arriesgar una tontería, decía Jorge. A comienzos de los setenta me la pasaba enamorado: Aída, Josefina y Luisa, las tres desgracias. No tenía sentido continuar en el barrio. Se dividió el partido, la insurrección se posponía o todo se iba para el carajo. Abel montó su negocio y movía la cocaína en la Plaza de Los Elefantes. ¿Quién iba a pensarlo? me dijo Alberto. Abel, el íntegro, ejemplo de toda la militancia de Catia. Un hombre de mística, repetía, movía la cabeza de un lado a otro y se miraba las uñas. El Indio Becerra se inscribió en la escuela de aviación. Seguía la línea del partido o buscaba tener futuro. Le hicimos una fiesta de despedida. Nos reunimos todos los de la calle e invitamos a las diablas del Liceo Andrés Eloy. Compramos anís, ron y cerveza. El hermano del Indio granuló más de una botella con mandrax. Las paredes sudaron esa tarde. Enrique prestó su casa y se la sudamos. Cuando sonaba un bolero de Roberto Roena, me le acerqué a Jorge y le dije que estaba enamorado de Josefina. Entonces me soltó aquello del riesgo y de la tontería. Josefina bailaba con uno de los hermanos Macario, el tipo la apretaba contra su cadera, le mordía el pabellón de la oreja, le lamía el cuello, se frotaba como un perro. Podía escuchar los gemidos del mono Macario a pesar de los timbales y la risa de la gente de Lomas de

Urdaneta. Yo bebía anís y me abría camino en la sala, daba manotazos y miraba con cara de pocos amigos. Josefina se iba para el rincón y él apriétala y Josefina se reía. Yo quería decirle reputa y no le decía nada. Alberto presintió que se iba a prender una coñaza. Siempre he sido hombre de poca paciencia. Pasé a un lado del mono Macario y le toqué el culo. Él revira, me lanza un golpe con el puño cerrado. Lo esquivo. Me lanza otro golpe, esta vez me soba la oreja. Escucho grillos y estanques repletos de agua, batidos por bogarremeros. Me le encimo, lo abrazo, le suelto dos golpes sobre los riñones y lo levanto con una patada en medio de las piernas. Él cae. Viene el otro Macario, su hermano, me hace sonar la espalda como un tambor, pierdo aire, Jorge se le acerca, el mismo Indio Becerra deja a la novia en mitad de la sala, todos saben que la fiesta llega a su final, que yo, Rubén Cabilla, me lanzo de cabeza sobre los Macario, los embisto y me los llevo medio salón hasta la puerta. La casa de Enrique está construida sobre una terraza de cemento y desde allí los arrojo y por encima de mí comienzan a pasar uno y otro. Jorge, Enrique y el Indio Becerra dan puños, patadas y bofetadas, como dice la canción. Así terminó la fiesta. Josefina se fue a su casa. Traté de decirle algo decente, pero lo que me salió fue puta, reputa, recontramilputas. Esas son mis tonterías, Jorge. Mis amigos me tomaron de los brazos y me arrastraron a la escalera que da a San Benito. Me sentía mal. Había arruinado la fiesta del Indio Becerra. Él se iba a hacer carrera entre militares. ¿Y qué? No es el fin del mundo: una buena fiesta se termina a coñazos, me dijo Jorge a manera de consuelo y nos quedamos tomando *sol y sombra* toda la noche. Al día siguiente bañamos al Indio, lo vestimos con su uniforme azul de cadete de la aviación y nos montamos en un autobús hacia Maracay. Lo dejamos en la base de Palo Negro, tenía la lengua blanca y el aliento pesado. Lloramos juntos. No quedaba nada de nada: Abel movía la bolsa en la Plaza de Los Elefantes y ahora dejamos al Indio en una base aérea para que lo formara el enemigo. ¿Podría el Indio, borracho y enratonado, infiltrar al enemigo? Años después se alzó en un golpe militar, voló su F16 sobre Caracas y luego se fue al Perú.

Toda esa tarde la pasé en la casa de Josefina, en las escaleras. Ella asomaba medio cuerpo desde la platabanda, miraba hacia las otras calles, perdía su mirada en el barrio. ¿Qué buscaba? La figura deforme del mono Macario. De nada sirvió que le pidiera perdón. Me sentía tonto. Rubén Cabilla, un hombre duro. Un tipo de confianza en el partido. ¿Qué era ahora, sino un cabrón? Me lancé de cabeza escaleras abajo. Tú estás loco, me grita Jorge. Lo veo entre nieblas como a un santo, es la voz, me toma por los brazos y me lleva a rastras, atravesamos la calle San Pastor, mis suspiros rompían la tarde, rompían la noche, también suspiraba por Aída y por Luisa, carajo –las tres desgracias–. Vamos a tomar cerveza en la calle Bolívar para que te saques los despechos, me dijo, a escuchar rocola. De amor no se habla sino para hacer tonterías, repite. Pedimos dos y dos más. Sube y echa un polvo, invita. Me levanto de la mesa, camino por el pasillo angosto que conduce a la escalera del burdel, me paro en el umbral, soy el vaquero Rubén Cabilla, apoyo una de mis manos en el descuadrado marco de la puerta, me imagino sombra cubierta de carne, porque tres mujeres me ven, me quiebro en los brazos de sus exhalaciones, soy humo, qué coño. Pasean sus miradas por la sombra, siguen las estelas de humo de sus cigarrillos, invitan con pequeños movimientos a la sombra, se incorporan, parecen los perritos de Pavlov, pasean sobre tacones altos, sus carnes tiemblan, se derraman. Tomo a una pequeña, ella me toma a mí, abre la puerta de su cuarto, me desnuda, me lava, aprieta desde el tallo hasta el glande, se percata, no sale pus ni otra excrescencia y puede entonces llevárselo a la boca y ponérselo en el culo o entre las piernas, es un estudiante sano, debe pensar, y yo, Rubén Cabilla, pujo para irme, se me apagan las luces, no acabo. Despierto en un hospital con las venas pinchadas.

No se habla de amor sin arriesgar una tontería. Eso dije al coronel Becerra mientras tomaba mi segunda cerveza. Me lo repetía Jorge, le dije, cuando andaba emperrado con Josefina y aún me sacaban llagas los recuerdos de Aída y Luisa. Becerra apenas sonrió. Había engordado, le había clareado el pelo y mantenía el ceño fruncido de los hombres ocupados.

Jorge sigue diciendo esas palabras que parecen verdades, en estos días me soltó que nadie pasa impune por la vida. ¿Y qué me quiso decir con ello? Desde que regresé de España me he convertido en un hombre apocado, me inquieren. Nada queda de aquel Rubén Cabilla, Alberto se ríe de mí. Sostiene que es una enfermedad de clase media. La clase media es marginal, otra sentencia de Jorge, alocada, no lo sé, yo me mantenía al margen de las cosas que pasaban. Nunca me reintegré. Me mantuve ajeno de las conspiraciones. Fui contundente, o no, pero le dije a Alberto: No voy a participar en el traslado de esas armas. Él me lanzaba insultos, se condolía por mi estado de ánimo, me dijo que daba asco, vas por la vida autocondolido y doloroso como una virgen, qué carajo, no voy a participar en la toma de la emisora, lacrimoso como una vela, un día de estos te pego un tiro, es un acto de piedad. Alberto no me mató porque a un revolucionario no lo mueve la piedad.

Luego de haber abandonado a Victoria en Algeciras y de haber arriesgado mi última tontería, decidí no insistir con la vida y sus esperanzas, siempre vanas. Me faltó coraje para darme un tiro entonces. Un guardia civil me desarmó sin trabajo, a mí, Rubén Cabilla. Me embalaron hacia Venezuela y desde entonces he pululado por los bares chinos, allí me solazo frente a los incensarios, entre el olor a orine y a soya. Mi vida tuvo otro capítulo. Un capítulo que se ha extendido de manera engorrosa y que busca diluir el final.

Los amigos me han ido dejando, soy tratado por asco o por lástima. No hay diferencia. Eres deplorable, me repite Alberto, casi tanto como Abel.

Abel ha prosperado en el negocio. Ya controla todo el oeste de la ciudad y su gente ha comenzado a ser vista en bares del sur y del este. El hermano de Abel, Franpipí, se mantuvo cerca de Alberto y de Jorge y cuando los militares se alzaron, él se alzó con ellos. Luego de la derrota tuvieron que mover las armas, mantener contacto con la guerrilla en la frontera y procurar la fuga de los prisioneros. En todo andaba Franpipí. Era lo que en su momento fue Abel. Un militante valioso. Mientras, el hermano se fue convirtiendo en un colaborador de la policía, filtraba información y se peleaba la zona con los compañeros del partido. Alberto decidió sacar a Abel del juego. Lo denunció en las juntas comunales, en la fiscalía y movilizó a la gente del barrio contra sus vendedores. Incluso trató de emboscarlos. Al principio no hubo consecuencias. Sólo escaramuzas. Los jíbaros que movían la bolsa en la Plaza de Los Elefantes comenzaron a ser desplazados. El negocio iba mal. Abel decidió delatar. Sabía dónde Franpipí guardaba las armas y dónde escondía a un oficial que se mantenía prófugo. Una madrugada allanaron la casa de Jorge y se llevaron a Alberto. Ambos estuvieron incomunicados cinco días, les metieron la cabeza en pocetas repletas de excrementos, les quemaron los pendejos con electricidad, les dieron golpes hasta en las axilas, los sofocaron con bolsas de plástico. Ambos creyeron que los iban a matar. Niegan haber soltado la lengua. Haberse ido de boca. Días después medio barrio cayó.

No fue la policía quien se hizo cargo de las armas escondidas, ni del oficial del ejército. Franpipí había decidido moverse pero el hermano tenía un mapa claro de sus movimientos. Colaba café en la pequeña cocina de la casa que le servía de concha. Entonces un jíbaro de la banda de Abel brinca de su moto por un terraplén, rueda y cae parado con una escopeta de dos cañones entre sus manos. Con el hombro derriba la puerta de zinc y deja que su arma escupa. Riega de plomo la pequeña sala, la única habitación, tira el carro y carga el arma una y otra vez, va a la cocina y la hace tronar, a Franpipí le queda el pecho abierto, mana sangre negra, trata de hablar y de su boca salen gorgoteos: yo soy Caín y la historia se cuenta al revés, de ese pensamiento no está seguro nadie, pienso. Llegaron otros sicarios y buscaron entre los muertos, buscaron bajo las camas, derribaron las paredes de adobe, encontraron las armas, encontraron dos pasaportes, encontraron unas revistas de mujeres desnudas y un tomo de *El Capital.* Metieron todo en bolsas negras y se lo llevaron. Más tarde llegó la policía. Reseñaron las muertes como un ajuste de cuentas entre bandas.

Hay vainas que no se perdonan, me decía Becerra. Abel ha podido eludir su destino. Antes era más fácil, Rubén Cabilla, cuando no éramos gobierno, se armaba una operación militar y se le pegaba un tiro. Abel está condenado a muerte. Lo sabía. Era lo justo. Lo que no cuadraba era por qué yo debía ser el ángel de la muerte. Ellos tenían hombres y aparato. ¿Por qué un solitario? Matar a un malandro es cosa fácil y sobre todo si eres el jefe de la policía. Todos mis amigos pasaron de ser combatientes revolucionarios a ser policías de la revolución. Actuaban organizando brigadas populares, aprendieron los oficios del espionaje y asumieron sin contradicciones esa nueva faceta de sus vidas comprometidas. El Indio Becerra, hirsuto y ceñudo, era quien coordinaba todas sus actividades. Las vueltas que da la vida. La mía no daba vueltas sino ridículas volteretas. Me hizo vulnerable hablar de amor. Hablar de las tetas de Josefina, de las piernas de Aída, de los ojos de Luisa. Siempre te la pasaste en esa paja, perdiste el temple, Rubén Cabilla, me dijo Becerra, ahora qué te queda. Deberíamos pegarte un tiro por piedad, repitió la frase de Alberto. ¿Por qué carajo no me lo pegan? Porque tú debes dar un tiro de justicia. ¿Por qué yo? La vida se te fue cerrando, chiquito, me dijo el Indio, igual andas muerto desde hace tiempo y antes de morirte como se debe, tus amigos te pedimos un acto de justicia. Me exigió: reivindícate, carajos, se te fueron veinte años frente a los incensarios en los bares chinos y entre los brazos de cualquier puta mientras nosotros hacíamos una revolución: coño, se me fueron los años. ¿Y para dónde se van los años?

Abel estaba en el hipódromo, se iba a correr la sexta carrera del viernes. Gordo y rosado, vestía un saco azul con un ancla bordada en el bolsillo y una gorra de capitán de barcos cubría sus canas. Andaba confiado, fumaba un grueso cigarro, sus hombres lo cuidaban de cerca, eran cuatro, nadie arriesgaría una matanza en la sexta carrera del viernes. Yo, Rubén Cabilla, luego de tomarme dos tragos largos de ron, me abrí camino entre la multitud en el momento en que los caballos pasaban la marca de la última curva, Abel se acercó a la baranda, hacía sonar sus dedos, sus hombres aplaudían o intercambiaban palmadas. Dejé que mi brazo se extendiera y apunté, era Apolo. A medida que señalaba, hería de lejos entre el griterío. Primero Abel, dos agujeros, uno en el pecho y otro en la garganta. Luego dos de sus guardaespaldas y un vendedor de tostones. Dejé de señalar y me perdí, me tragó la confusión. Creo haber leído que es difícil matar a un hombre. Depende, me repetía, a Rubén Cabilla siempre le ha sido fácil la faena. Salí del hipódromo, boté los casquillos del arma y detuve un taxi. Comenzaba a llover, pedí al conductor que me dejara frente al restaurante de los chinos en Boleíta. Necesitaba calmar mi sed, me había ganado el tiro de justicia, estaba seguro. Quién sabe.

No se habla de amor sin arriesgar una tontería. Cuando se acaba todo, se acaba y punto, me dijo Jorge. Decidí entonces que no acabaría porque nunca había empezado. Huí hacia delante desde la nada. El Indio Becerra estaba infiltrando a la aviación. Josefina entregada a la parrilla de la moto de uno de los Macario, Abel prosperaba en su negocio, los demás revisaban sus vidas y pensaban qué hacer con un partido dividido. Me fui.

Llegué a Londres una mañana de primavera. Victoria Station me recibió entre vapores, iluminada y roja. Llevaba poco equipaje, estaba flaco, asombrado y dispuesto a no volver a Venezuela. Me haría director de cine o poeta. Llegué a la casa de un amigo de Alberto. No era una casa, o sí, era una casa invadida, un *squoter*. Era común ir a Londres y llegar a un *squoter* por aquella época. Toqué las puertas de una vieja mansión cerca de Camden Town, me abrió Gabrielle la monja, su cara roja, su nariz larga y fina, de aguja, aguja de iglesia que me olfateaba, aguja de pino rojo y hermoso. Pasé a la cocina y me presenté al resto de una comuna que pretendía adaptarse. Venían de los sesenta: marroquíes, argelinos, irlandeses, españoles, escoceses, suizos, italianos: el mundo, todo en seis casas. La aldea global del maldito McLuhan. Bebían café, tomaban vino, organizaban fiestas en el lote de tierra al fondo, fumaban hachís, aquella primavera del 79, de vuelta, se quejaba Tom ¿hacia dónde? El retorno tiene un reacomodo indeseable. Viví entre ellos por un tiempo. Gabrielle, la monja, fue mi amante. Así de fácil, le gustaba meterse a la cama conmigo hasta altas horas del día, nos frotábamos como leños y salíamos a comer lo que hubiese, tomábamos café y fumábamos marihuana jamaiquina. Íbamos a los pubs del sur, nos gustaba estar entre mucha gente, bailábamos o salíamos a comer castañas. Vino el cielo de verano y los carnavales de Portobello, las mascaradas en casa de los amigos de Trinidad. A Gabrielle, la monja, le bajó la gracia, su vida cambió sin melodramas, conoció a Laura y se hizo miembro activo del movimiento gay, no hubo ruptura ni despedida, no me sentí triste ni me lancé por las escaleras de *Embarquement*. Seguí adelante y me hice más amigo de Muhamed y de Tom, ellos no creían en lo que estaba pasando, decían que la gente se volvía cínica cuando retornaba, que todos se habían vuelto cínicos y había que hacer algo antes de que nos alcanzara la gangrena. No quería hacer nada. Quería ser poeta, leer y descubrir a mis autores en las bibliotecas de los barrios negros. Quería hacer cine o no hacer, pensar la poesía, leerla, imaginar secuencias o dejarme poner viejo. Ellos insistían en que debíamos ir a Belfast a matar ingleses o al Líbano a entrenarnos. Hablaron de la lucha armada y me invitaron a conocer los secretos de los explosivos plásticos. En un principio me entusiasmé con sus ideas. Pero estaba cansado. Ya no era más un hombre duro. No era más Rubén Cabilla. La revolución no era asunto mío. Por suerte, conocí a unos españoles que escapaban de la mili y vivían en Brixton Hill, en un *squoter*, por supuesto. En otoño me alejé del círculo de Canden. En otoño conocí la abundante cabellera y el rojo amor de Victoria.

Roja era y pecosa su piel. Como el centeno y la avena era. Sus ojos grandes de almendras, dulces y brillantes, higos del otoño, verdes y grises, ojos que buscan mi cara. No soy más ni lo seré de nuevo. Presumo en Victoria mi derrota. Ella había ido a Londres a practicarse un aborto, estaba frágil, debí suponerlo, siempre estuvo frágil como las hojas de otoño. Incluso, cuando me amó con exceso y su pasión era una pasión real, corrosiva, debí entenderlo. Desde la primera noche nos agarramos de manos. Conversamos un poco sobre la transición en España. Ella estaba agobiada, nunca supe por qué. No lamentaba haberse hecho un aborto, ni extrañaba a nadie, pero estaba agobiada. Paseábamos por Marbel Arch, siempre nos tomamos de la mano. Nunca he sentido la ternura como entonces. Nos comimos la boca por primera vez cerca de Hyde Park, caían como paladas las hojas sobre nosotros, moría y era enterrado, rojo en ella. No puedo decir que fue placentera mi relación con Victoria. Una pasión intensa no se dice ni se explica. No me enteraba de nada. Entraba y punto. Me dejaba ir hacia atrás con los brazos en cruz, iba hacia el fondo, había doblado la esquina o un pliegue de la vida. Un doblez, dos, tres y cuatro. Un pañuelo o una mortaja. Me reduje a ella y no cuestioné nada.

Nos hicimos frecuentes en los bares punk de Richmond. Victoria me compró en un *jumbel sale*, una gruesa gabardina de soldado alemán. Yo no le daba importancia a que Victoria se pinchara. Yo bebía y ella se pinchaba, atenuaba su agobio y avivaba el mío. No se es feliz nunca, pensé, ya no tenía a nadie a quién decir, ni alguien que me dijera. Supe de Mohamed y de Tom. Apoyaban una huelga de hambre de los presos del Ejército Republicano Irlandés. Me trataban con cautela. A Gabrielle, la monja, la vi en Oxford Street la noche de navidad, nos dimos besos y abrazos, intercambiamos buenos deseos. Ella insistió en preguntarme si estaba bien, si me faltaba algo. Mierda, que no me faltaba nada, lo tenía todo, absolutamente. Miraba la nieve caer y los coros cantar y me sentía en el cielo. Era navidad. Estaba en Londres y amaba a Victoria. Y Victoria ¿era capaz de amar a alguien? No me hice la pregunta, sentía la pregunta, la comencé a sentir cuando sus ojos se hicieron más grises que verdes y sus manos quedaban muertas en mis espaldas, su boca languidecía y sin embargo, estaba consumido por ella. No se es feliz nunca, me repetía al verle las venas tatuadas por las ampollas negras de los pinchazos. No se es feliz nunca, me dije, cuando dejó de obsequiarme sus orgasmos. No me dejes, me dijo la primera vez que se quedó muerta en mis brazos. No me dejes, me dijo cuando lloré con la cabeza apretada sobre su vientre. No me dejes, me dijo y yo le dije que no la dejaría nunca, que dejarla era traición y que la traición se paga con muerte dolorosa. No me dejes, me dijo. El invierno fue duro, me rapé la cabeza, me atrincheré en el ático donde vivíamos, compré carboncillos y comencé a dibujar con trazos horribles un mural de mi ciudad, allá lejos, flanqueada por un cerro, en el cuenco de un valle. Nunca pasaron los días y fuimos quedando sin fuerzas, estaba impávido y se me ocurrió que un viaje al finalizar el invierno nos devolvería el rojo de los primeros tiempos, buena comida y vino grueso, le dije. Vamos a España.

¿Qué me hizo ir hasta el final? La luz. Pensé en Marruecos. En los días perennes. En el sol calcáreo. Lindo lugar para morir. Victoria estuvo de acuerdo, se entusiasmó con la idea. Puedo decir que me la eché al hombro como un talego. Nos despidieron en Victoria Station Gabrielle, la monja, y Laura. Londres quedó atrás y no sentí dolor ni pena. Sólo sentía a Victoria. Cruzamos el Canal de la Mancha por Dover y así de nuevo al continente. Entramos a España por Port Bou. Victoria tuvo la primera crisis de abstinencia antes de llegar a París. La dejé envuelta en un *sleepingbag* en la Gare Oest y fui a un barrio argelino a controlar heroína. Vagué casi todo el día, entre señas y desconfianza conseguí algo y en una farmacia pedí dos frascos de jarabe para la tos. Regresé y besé los brazos, el pecho, la nuca de Victoria. Busqué beso a beso una vena y la inyecté. La mantuve con codeína hasta Barcelona y allí todo comenzó a fluir, como es natural, hacia Marruecos. Ella se perdió en la Barceloneta, se perdió entre marineros. Cerré los ojos y no quise pensar sino en el sol, en el maldito sol óseo del norte de África, ella estaba allá y no entre putas en Las Ramblas, ella estaba allá y no entre las escorias del puerto, ella estaba allá y me la mamaba a mí y no a un marinero hijo de puta de Costa de Marfil. Se me perdió y la encontré, era un reino, una heredad, en el quicio de una escalera cerca de la catedral. Suciarojaestropajo. Me hice de dinero con un golpe de fuerza. Compré ropa, alquilé un hostal, la bañé. La froté con agua de azahares y ungí su cabello con aceites, continuaba hermosa, apenas dibujaba esa sonrisa de los muertos. La había pinchado con heroína buena, me arriesgué y lancé los dados. Al día siguiente nos largamos a Valencia, a Málaga, a Algeciras. Ya no tenía dinero, ni chocolate, ni maricas perras para calmar mi sed con unas cervezas. Victoria convulsionó. Rubén Cabilla, el duro, fue de nuevo a las calles, navaja en mano y a carajazos le quitó el dinero a un tipo que salía de un banco y corrió por los callejones de Algeciras e hizo a un lado a la gente, ya tenía el dinero para comprar una dosis y cruzar el Mediterráneo. Estaba feliz en el momento en que sentí que un puño me cegaba. No me dejes, me dijo. Fui deportado a mi país y no supe de Victoria, no pude darle el sol de los huesos ni el aroma del Sahara, la dejé y me dejé, no tuve fuerzas para hacerme matar por la guardia civil. Marruecos quedó intangible mientras me venía en vómitos.

No se habla de amor sin arriesgar una tontería. Matar a un hombre no es nada agradable, mucho menos matar a sus guardaespaldas y a un vendedor ambulante. La vida me nació estopa. Y tengo que continuar. Abel está muerto, el Indio Becerra ya no me citará a tomar unos whiskies en el Tamanaco. Jorge y Alberto, uno en la alcaldía, el otro en Fuerte Tiuna, como un mar de maricas, justo en el carrusel de la historia, me dicen adiós. La noche está cálida. Tiemblo, me quema la fiebre. Mis armas no tienen proyectiles. Tengo dinero y pasaporte. Alquilo un cuarto en un hotel. Me desvisto, bebo un vodka puro y frío, me quedo desnudo, sentado frente al televisor. El país está revuelto, no me interesa el país. Confirmo mi reservación, me iré a Marruecos. Tiemblo. Voy a la ducha. Me doy un baño largo, gasto una pastilla de jabón. Recuerdo las piernas de Aída, las generosas tetas de Josefina, los ojos de Luisa. Victoria no se recuerda. Victoria es derrota y traición. Me seco y me envuelvo en toallas. En dos días estaré en Casablanca. Nadie sabe. Será un *remake*. Aparecerá Victoria bajo las aspas de un ventilador en un bar. Viva, roja y voluptuosa como aquella primera vez en el *squoter* de Brixton Hill. Alguien tocará *Según pasan los años*. Suena el timbre. Me dirijo a la puerta, es mi vodka. No sé por qué sonrío al verle la cara al botones, escucho dos consejos, dos disparos, *play it again, Sam*. El sol es calcáreo en Marruecos. Lo juro.

16285564R00075

Made in the USA
Charleston, SC
13 December 2012